KB183497

35세
아파트 200채 사들인
젊은 부자의 투자 이야기

35세 아파트 200채 사들인
젊은 부자의 투자 이야기

초판 인쇄 2015년 6월 15일
15쇄 발행 2021년 9월 01일

지 은 이 고덕진
감 수 송희창
기획/편집 최솔잎
펴 낸 곳 도서출판 지혜로

출판등록 2012년 3월 21일 제 387-2012-000023호
주 소 경기도 부천시 원미구 길주로 137, 6층 602호(상동, 상록그린힐빌딩)
전 화 032-327-5032 | **팩 스** 032-327-5035
이 메 일 jihyero2014@naver.com
(독자 여러분의 소중한 의견과 원고를 기다립니다.)

ISBN 978-89-968855-6-6(13590)
값 15,000원

도서출판 지혜로는 경제 · 경영 서적 전문 출판사이며, '독자들을 위한 책'을 만들기 위해 객관적으로 실력이 검증된 저자들의 책만 엄선하여 제작합니다.

35세
아파트 200채 사들인
젊은 부자의 투자 이야기

에피소드 | 순식간에 매입한 아파트 20채

"사장님, 이 동네에 나와 있는 물건들 모두 전세 5000만 원에 놓아 주세요."

"아니, 손님. 지금 전세 시세가 4000만 원인데 어떻게 5000만 원에 놔요. 말도 안 되지."

"현재 시세가 그 정도인 건 저도 당연히 알고 있습니다. 그렇지만 앞으로 전세 가격이 500 ~ 1000만 원 정도는 상승할 테니까, 최대한 5000만 원에 매물 맞춰주세요."

"아이고… 동네 시세라는 게 있는데 그렇게 고집을 하시면……. 손님이 원하시니 한 번 올려보긴 하겠지만 안 되면 저도 어쩔 수 없습니다."

"사장님, 저랑 내기 한번 해보실래요? 향후 3개월 안에 전세는 4000만 원에서 5000만 원으로, 매매가는 5000만 원에서 7000만 원까지 오를 겁니다."

"손님 입장에서야 당연히 오를 거라고 생각하시겠지만, 저는 이곳에서만 10년 넘게 부동산 운영해 왔어요. 그런데 제가 보기에는 그 정도로 오를 가능성은 없어 보입니다. 뭐 전세야 요즘 하도 귀하니 혹시 모르지만요. 우선은 원하시는 대로 그 가격으로 매물을 올려놓긴 하겠습니다."

부동산 사장은 어쩌면 나를 정신 나간 놈으로 보고 있을지도 모른다.

하긴. 젊은 사람이 어느 날 갑자기 나타나 다짜고짜 이 동네 매물을 모두 매입한 것도 모자라, 터무니없는 가격에 전세를 맞춰 달라 고집을 부리니 그렇게 보는 것도 무리수는 아니지.

이 한곳에서 10년 이상 중개업을 한 사장은 매매와 전세 가격 상승에 대해 확신에 차 있는 나와는 달리 모든 것을 의심하는 눈초리였다.

다만 내가 순식간에 20채의 건물을 매입했기에 나의 의견을 무시할 수 없어 마지못해 대답을 했을 뿐. 만약 내가 1 ~ 2채 정도 건물을 매입하고 이런 요구를 했다면, 아마 사장은 정말 나를 미친놈으로 여겼을지도 모른다.

지금껏 200채에 가까운 아파트를 매매하며 느낀 것이지만, 한곳에서 오랫동안 중개업을 했다는 이유로, 그들이 모든 것을 아는 것처럼 착각하는 사람들이 의외로 많다. 가까운 곳에 있었기 때문에 그곳에 대해 매우 잘 알 것이라 여기는 것이다.

그러나 오히려 그 때문에 시장의 변화를 느끼지 못하는 경우가 있음에도 대부분은 그걸 인정하려 들지 않는다. 특히 부동산 시장에서는 더욱 그렇다.

조만간 시세 상승이 이뤄질 것이 분명하지만 아직 때 묻지 않아 차분하고 조용한 곳. 때문에 그곳에 터를 잡은 중개인조차도 감을 잡지 못하는 지역이 바로 내가 찾는 곳이다.

내가 매입한 물건들을 모두 전세로 놓고, 앞으로 3개월 후부터 시세가 분출될 때까지 조금씩 매매로 수익을 얻을 예정이다.

중개인은 대부분 컴퓨터에 올라와 있는 매물들을 보며 시세를 파악하지만, 나는 내가 매입할 아파트들의 과거 10년 시세 변화를 분석하고, 그 외 몇 가지 투자의 강력한 지표가 될 수 있는 차트를 분석하여 결론을 내린다. 아직까지 나는 이 분석 방법을 통한 투자에 한 번도 실패해 본 적이 없다.

이 분석 방법은 초보자라도 쉽게 부동산 시세를 가늠할 수 있다는 엄청난 장점이 있는 데 비해, 대부분의 사람들은 이런 방법으로 접근하지 않기 때문에 더욱 유효하다.

내가 지금까지 매입했던 지역의 대부분이 그랬다. 그 지역의 주민과 공인중개사들은 내가 사는 타이밍에 맞추어 투자를 하기보다는, 오히려 나의 행동을 의심스럽거나 안타까운 눈초리를 지켜보는 게 대부분이었다.

단언하건데 이러한 확신에 근거하여 베팅할 수 있는 기회는 자주

오지 않는다. 강력한 지표를 바탕으로 하여 남들보다 빠르게 분석하고 행동하여야만, 지금은 저평가되고 있지만 안전 마진이 충분히 주어진 배팅이 가능하다. 명확한 데이터가 확보되었기에 한 숨에 이곳까지 달려와서 시장에 나왔던 매물 전부를 사들인 것이다.

에피소드 | 부동산 매입 하루 전날 밤

'아파트 가격이 10년 전과 같은 곳이 있다니!!'

컴퓨터 앞에 앉아 20평대의 아파트가 5000만 원인 것을 확인한 나는 놀라움에 흥분을 감출 수가 없었다.

나는 재빨리 인터넷에 나와 있는 매물들의 시세를 파악한 후, 내 투자 지표들을 대입하였다. 그리고 통장 잔고를 확인하여 얼마만큼 매물을 매입할 수 있는지 계산해 보았다.

10년전과 동일한 시세를 분석하는 것은 인터넷을 통해서도 가능하지만 중고책방에서 구입할수있던낡은 부동산 정기간행물을 통해 과거 지역별 시세를 분석할 수 있다.

그렇게 여러 번의 고민과 확인을 거듭한 결과, 급매물부터 매입하여 매매를 비롯한 경매 물건까지 모든 방법을 동원하여 한도까지 매입하기로 결정하였다. 이번 투자 역시 몇 개월 후부터 수천만 원의 차익을 시작으로 조금씩 매매를 시작할 생각이다.

나는 날이 새는 대로 곧바로 부동산에 찾아갈 수 있도록 미리 필요한 채비는 갖춰 놓았다.

방안에 조용히 눈을 감고 누워서 상상에 빠진다. 수많은 매도자들은 아마 10년간 제자리를 맴돌고 있는 시세에 지쳐 분명히 계약을 할 것이다. 계약서를 쓰면서 매도자들은 분명히 아쉬움을 보이겠지만 그들은 아파트가치가 저평가인지 고평가인지 가늠할 수 있는 분석능력이 없다.

내일부터 나의 조용한 식사가 시작된다…….

차례

4장

내 집 마련의 기술

5장

실전투자 이것만은 알아두자

6장

경제적 자유와 경매투자에 관한 칼럼

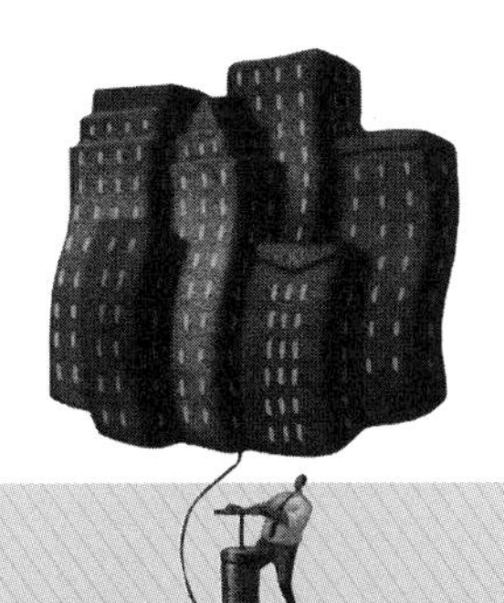

Chapter

주식을 통해 나락에서 빛을 보기까지

주식을 통해 **나락에서 빛을 보기까지**

죽음의 문턱에서

과거 2000년, 주식 시장의 IT버블은 많은 사람들을 주식 시장으로 뛰어들게 할 만큼 엄청난 매력이 있었다. 그 당시에는 하룻밤만 지나고 나면 종목들은 매일 상한가를 기록하였고, 신규 공모주는 엄청난 경쟁률에 밀려 청약조차 할 수 없었다.

이런 흐름은 대학생이었던 나를 주식 시장으로 자연스럽게 이끌었다. 당시 나는 초조하게 시세판을 바라보며 주식 시장이 나를 부자로 만들어줄 것이라는 꿈을 꾸고 있었다. 그리고 그 꿈을 위해 어렵게 부모님을 설득해, 2000만 원이라는 자금으로 주식 투자를 시작했다.

누구나 그러하듯 투자를 시작할 때는 곧 만날 수 있을 것만 같은 달콤함만 상상할 뿐, 쓰라린 퇴장은 내 머릿속에 전혀 인지되어 있지 않았다.

그러나 시간이 지나면서 주식 시장의 거품은 점점 사라졌고, 특히 기세가 꺾일 줄 모르던 IT업종은 낙엽이 떨어지듯 매일매일 끝도 없이 하락했다. 그 결과, 당시 정말 수많은 사람들이 주식 투자로 돈을 날렸고, 나 역시 예외 없이 부모님의 쌈짓돈을 모두 날려버렸다.

내 인생에서 겪은 첫 번째 좌절이었는데, 비교적 젊은 나이에 마주하게 된 허무함과 좌절감은 도저히 몸으로 견뎌내기가 힘들었다. 주위의 누구도 만나기 싫었고, 아무 말 없이 풍경만 멍하니 바라보는 날이 반복되었다.

그렇게 무엇이 잘못되었는지 뒤돌아볼 생각도 하지 못한 채, 참담한 결과에 좌절만 거듭하고 있었다. 마치 빈털터리가 되어 카지노장을 빠져나온 사람처럼, 내 앞에 희망이란 단어는 존재하지 않는 것만 같았다.

모두 잃고 빈털터리가 된 나는 아무런 생각 없이 서울에서 기차를 타고 목포로 향했다. 분명 주식 투자를 잘할 수 있는 방법이 있을 텐데 도무지 알 수가 없었다. 내 자신을 자책하는 동안 목포에서 다시 제주도로 가는 배에 몸을 실었다. 그리고 제주도로 향하는 동안 정말 여러 가지 생각을 했다.

'주식 투자는 과연 시세의 흐름에 순응해야만 하는 도박 같은 게임인가?'

'어떤 독자적인 방법으로 주식을 분석하고, 투자할 수 있는 방법은 없을까?'

'내가 그저 운이 나쁜 것일까?'

'절대로 잃지 않는 투자 방법이 있을 것 같은데…….'

아무도 모르는 세상 어딘가로 사라져 버리고 싶은 마음이 간절했다.

하지만 생을 접겠다는 생각을 잊게 한 것은 바로 제주도의 아름다운 풍경들이었다. 그 풍경들을 바라보면서 나는 다시 한 번 주식 투자로 성공해서 이 아름다운 곳에 내 삶을 넣을 것이라 다짐했다.

'그래! 기회란 다시 주어질 것이다. 이번이 아니었다면 다음 기회를 기다리자.'

성공한다면 제주도에 돌아와 맛있는 음식과 축하주로 그동안 힘들었던 내 자신에게 스스로 보상하리라 마음속으로 약속했다.

삶이 힘들 때는 휴식을 취할 수 있는 경치가 좋은 곳으로 떠나라. 칙칙한 공간은 마음을 치유할 수 없다. 힐링은 다시 희망을 품게 하는 원동력이 된다.

그러나 다시 일상으로 돌아온 내가 할 수 있는 일은 신문을 탐독하며 주식 투자에 참고가 될 만한 기사들을 모두 스크랩하는 일뿐이었다. 주식 투자에 관해서는 학교와 가정, 그리고 주변 지인들에게서도 배울 수 있는 게 없었기 때문이다. 단지 열심히 일하기만을 요구하는 자본주의 시스템 안에서 돈을 벌 수 있는 방법을 배우는 것은 결코 쉽지 않은 일이었다.

투자에 몰입하는 나의 모습에 부모님은 못마땅한 시선을 보내셨지만, 그 당시 주식 투자는 내 인생의 전부이자 나를 새로운 길로 인도해 줄 유일한 구원이었다.

주식 공부를 하며 거의 매일 밤을 새던 중 워런 버핏에 대해 알게 되었고, 나아가 가치 투자라는 것을 접한 뒤에는 그것에 집중하기 시작했다.

한 번 큰돈을 잃어봤기에, 두 번 다시 똑같은 경험은 절대로 되풀이하고 싶지 않았다. 같은 실수를 반복하지 않기 위해서는 절대 잃지 않을 투자를 해야 했고, 그러기 위해서는 훨씬 더 많은 준비가 필요했다.

주식 투자에 눈을 뜨다

그 후로 무려 4년이라는 시간 동안 나는 낮과 밤의 구분이 없는 생활을 하면서 밥 먹는 시간, 화장실 가는 시간, 심지어 잠을 자는 시간에도 오로지 주식 투자만을 생각했다.

긴 시간의 공부를 통해 마치 도박하듯 감으로 베팅했던 초반의 투자 방식을 벗어나, 가치 투자에 관해 나만의 방식을 적용하기 시작했다.

그리고 나는 인터넷에서 꽤나 유명인이 되어가고 있었다. 그 당시 내가 올린 글들을 보고 많은 사람들이 관심을 가졌는데, 정작 학생 신분이었던 내 자신은 초라한 투자 원금으로 인해 엄청난 수익률을 올렸음에도 그 결과는 그리 화려하지 않았다.

그 당시 나는 군대에 입대하여 야간 근무가 주어질 때마다 틈만 나면 주식 공부를 하였고, 나에게 주어진 모든 휴식을 주식 투자에 쏟아부었을 정도로 미쳐있었다.

나는 우리나라 주식 시장에 상장된 1700여 개의 기업에 대해서 대부분 다 살펴보았다. 상장된 기업 CEO의 성격, 기업의 목표, 기업의 재무재표 및 PER(주가 수익 비율. 특정 주식의 주당 시가를 주당 이익으로 나눈 수치로, 주가가 1주당 수익의 몇 배가 되는가를 나타낸다.), ROE(투입한 자기 자본이 얼마만큼의 이익을 냈는지를 나타내는 지표), 배당수익률 등 1700여 개의 기업의 분석을 계속 되풀이했다.

이러한 노력과 인터넷 유명세로 군 제대 후 내게 투자금을 맡기는 사람들이 생겨나기 시작했다.

운도 따랐던 나는 3개월 만에 100%에 가까운 수익률을 올리고, 다시 6개월 후 추가로 100%, 그리고 1년이 지나 다시 100%의 수익률을 올렸다. 결과적으로 세상에서 내가 주식 투자를 가장 잘한다고 착각할 정도로, 2004년부터 2007년까지 매년 100%를 초과하는 수익률을 올린 것이다.

주로 오뚜기, 동원F&B, 세아홀딩스, 대성산업, 넥센 같은 가치주 위주로 투자하였다. 이들 기업은 시장 지배력이 절대적이고, 매년 배당

수익률이 정기예금을 초과했다. 시간이 갈수록 운용하는 자금의 규모가 커져, 주식 주문을 내려면 하루 온종일 시간을 소비해야 할 정도였다.

좌절의 2000년에서 7년이 흐른 2007년, 고대하던 주식 투자로 경제적자유를 얻게 된 것이다. 절망스러웠던 현실에 끔찍한 결정까지 했던 과거, 제주도의 아름다운 풍경을 바라보며 성공을 다짐했었다. 지금 그 간절했던 약속을 지키게 된 것이다.

빈털터리의 꿈이 현실이 되어 제주도에 거주하게 되었고, 고급승용차를 구입하여 한적한 해변을 바라보며 드라이브를 즐기고, 매일 고급 음식과 고급 위스키를 마시는 등, 하루하루 정말 귀족이라는 표현이 어색하지 않는 생활을 하였다.

주식 투자로 돈을 버는 게 쉽게 생각되었고, 재기를 통해 더 이상 부모님의 도움 없이 이 자리까지 온 내 자신이 대견하게만 느껴졌다.

금융 위기가 인생의 전환점을 만들다

그러나 나의 이런 호화스러운 생활은 그리 오래 가지 않았다. 다시 시련이 불어닥친 것이다.

2008년 금융 위기는 1998년 IMF처럼 주식 시장을 매일 폭락장으로 이끌었고, 모든 투자자들이 심리적으로 위축되었다. 마치 세계 경제가 정말 파탄이라고 날 것처럼 언론과 매스컴은 연일 부정적인 보도로 가득했다.

그중에서도 나는 보통의 투자자들보다 그 피해가 훨씬 심각했다. 지난 수년간 좋은 수익률로 주식 투자를 했기에 나는 자신감으로 가득했다. 그리고 그 자신감은 현금뿐 아니라 좋은 조건으로 받았던 증권사의 대출금 즉, 과도한 레버리지를 활용한 투자로까지 이어졌던 것이다. 투자를 할 때는 약이 되기도 하지만, 하락장에서는 엄청난 독이 되는 것이 바로 레버리지다.

결국, 지난 9년간의 주식 투자로 벌어드린 자산에 큰 타격을 입었다.

사실, 나는 이러한 위기가 올 것을 감지하고 있었다. 하지만 내 안에 자리잡은 커다란 욕심과 투자할 자금이 없으면 불투명해질지도 모른다는 나의 미래에 대한 걱정이 투자자들에게 말하는 것을 막고 있었다.

결국 나는 하루하루 술에 빠져 지냈다. 낚싯대에 미끼도 끼우지 않고 하루 종일 아무 생각 없이 바다를 바라보기도 하고, 또 어떤 날은 하루 종일 베란다 앞에 서서 바깥을 쳐다보거나, 혼자 음악을 들으면서 멍하니 하루를 보내기도 했다.

20대의 마지막 해인 29살은 그렇게 지나가는 듯했다.

제주도에서 30평대 아파트에 월세로 혼자 거주하던 나는, 경제적인 이유로 이사를 결정했다.

20평대의 아파트로 이사하기 위해 부동산에 들렀다. 나와 여자친구는 중개인을 따라 집을 보러 갔는데, 그 아파트는 이전에 살던 월세에 반값도 안 되는 금액이었다. 그 당시 나는 부동산에 대한 아무 지식이 없었기 때문에 같이 동행했던 중개인에게 물었다.

"이 집은 아무런 문제가 없는 집인가요?"

중개인은 나와 같이 있던 여자친구를 바라보면서 약간 신경질적인 어투로 대답했다.

"주인은 강남 살고, 여기 아파트가 5채인가 6채 있는데 아무 걱정 안 해도 되요! 돈 많은 사람이고, 더 많은 사람은 50채도 있어요."

"둘이 같이 살 거예요? 아님 혼자 살 거예요?"

"근데 왜 그 좋은 노형동에서 이사를 오는 거죠?"

그날 중개인에게 들었던 그 말들은, 내 옆에 같이 있던 여자친구에게 남자로서 너무나도 자존심이 상하는 말들이었다.

또 입주가 진행된 후, 나의 집 주인은 중개인보다 더 악랄했다. 입주 후 갑자기 보일러가 고장 나 연락을 하니, 그건 임차인이 알아서 고쳐야 한다는 간단한 답변만 나에게 해주었다.

나는 보일러 부품의 경우 소모품이기 때문에 당연히 월세 임대인이 수리를 해 줘야 한다고 말했지만, 다시 돌아오는 건 '그 집에 살기 싫으냐.'라는 식의 답변이었다. 집 주인은 오히려 그 정도는 대부분의 임차인들이 알아서 해결한다며 뻔뻔한 태도로 일관했다.

그 순간 정말 그동안 내 집 하나 없이 살아온 것이 너무나 안타까웠다. 그때 당시 난 주식 투자로 쉽게 자산을 불릴 수 있다는 자신감에 가득 차 있었기 때문에, 내 집 마련에 아무런 관심도 두지 않았다.

그러나 한편으론 '세상에 저렇게 많은 아파트를 보유한 사람들도 있구나. 어떻게 저렇게 많은 아파트를 관리할 수가 있지?' 이런 호기심이 생겼다.

Chapter

2

부동산 **투자의 입문**과 새로운 **투자기준**의 발견

부동산 투자의 입문과 **새로운 투자기준의 발견**

부동산 투자에 입문하다

장고 끝에 금융 위기로 위축된 나의 마음을 부동산으로 풀어나가자 다짐했다. 마음을 굳힌 나는 과거 20살 시절 주식 투자를 공부하듯 낮과 밤의 구분 없이 공부에 매진하며, 오로지 부동산 투자만을 생각했다.

중고 서점에 들러 부동산 잡지를 연도별로 구입하여 시간이 날 때마다 읽음으로써, 지난 10년간의 데이터를 통해 과거의 흐름을 파악하기 위해 노력했다. 또 경매 사이트에 나오는 물건 하나하나의 수익률을 계산해 보기도 했다. 수도권 아파트는 2007년 사상 최고의 시세를 경신한 후, 2008년 계속 하락하고 있는 시점이었다.

나는 주식 투자에서 매년 배당을 주는 배당주의 개념을 이용해 임대 수익이 높은 주거용 건물에 관심을 가지게 되었다.

주식 투자의 기법을 부동산에 접목하라!

주식과 부동산은 다르지만, 투자의 원칙은 비슷할 것이라 생각했다. 그래서 그동안 공부했던 모든 것을 버리기보단 어떻게 하면 주식 기법을 부동산에 접목할 수 있는지에 대한 연구에 몰입했다.

내가 가진 자본으로는 수도권 아파트를 살 수도 없을 뿐더러, 매달 받을 수 있는 임대 수입 역시 너무 초라하게 짝이 없었다.

반대로 지방의 아파트들을 살펴보니 200만 원을 투자해서 매달 20만 원, 연간 240만 원의 임대 수입을 얻을 수 있는 곳이 광범위하게 지천으로 널려 있었다.

그 이유를 찾기 위해 밤을 꼬박 새가며 인터넷의 지도를 보고 또 보며 연구했다. 그 결과, 지난 수년간 지방의 주택 공급은 상당했으나 인구 증가가 이루어지지 않아 지방 부동산이 상당한 하락세를 겪으면서, 임대수익률이 12%를 초과하게 된 것이라는 사실을 알 수 있었다. 임대수익률 12%는 6년이면 복리로 내 원금을 모두 회수할 수 있는 조건이다.

1억 원을 투자하여 매년 1200만 원의 월세를 받아 복리로 저축한다면 6년 후에는 원금 1억 원에 해당하는 시세 차익을 얻을 수 있으므로, 상당히 매력적인 조건이었다.

더구나 경매의 경우, 은행에서 낙찰가액의 최소 70% 대출이 가능한 데다, 나머지 30%의 자금은 임차인의 보증금으로 대체할 수 있기 때문에 큰 자본이 없이도 많은 주택을 소유할 수 있는 구조로 되어 있다.

이 사실을 알게 된 나는 누군가 내 뒤통수를 강하게 친 것 같은 충격이 들었다.

낙찰가 2000만 원인 건물의 경우

대출 1400만 원 + 보증금 500만 원
= 실투자금액 100만 원 + 제반 비용 100만 원

세상에! 200만 원을 투자해 1년이 지나면 연 140만 원의 임대 수입이라니! 과거 내가 투자하던 주식에서는 상상도 할 수 없는 일이었다. 2000만 원을 투자하면 임대 수입으로 금액의 70%의 해당하는 1400만 원이 매년 안정적으로 발생되는 것이다.

나는 이것이 기회라는 것을 믿어 의심치 않았고, 기회가 주어진 만큼 투자를 할 수 있도록 자금을 모으고 지역분석에 올인하였다.

부동산 투자의 매력은 주식과 다르게 매달 들어오는 안정적인 임대 수입이었다.

그 당시는 내 주변 지인들이 매달 200만 원이 조금 넘는 월급을 받고 회사를 다니던 시기였다. 나는 아파트의 상승 시세는 생각하지 않고, 매달 그 친구들 월급의 두 배를 임대 수익의 목표로 정하고 본격적으로 부동산 투자를 시작했다.

Chapter

아파트 **매입** **실전사례**

아파트 매입 **실전사례**

서산 - 3000만 원으로 15채의 아파트를 구입하다

충청남도 서산을 내려가게 된 이유는 여러 가지가 있었다. 서해대교로 인한 서해안 시대 개막으로 서산과 당진이 크게 발전하고, 기업들의 교통 및 물류 인프라가 크게 개선되면서 중국발 영향을 비롯해 공업도시로서의 인구 증가가 예상됐기 때문이다.

이 지역에 대한 조사와 분석을 미리하고 투자를 위해 부동산에 방문했다. 일반 매매로 2100 ~ 2300만 원까지의 매물이 상당했고, 당시 월세는 500/20만 원이었다. 2100만 원에 매입하면 나는 보증금을 제외한 1600만 원을 투자해서 연간 240만 원의 월세 수입을 얻을 수 있었다.

매입비 2100만 원 - 보증금 500만 원
= 실투자금액 1600만 원 / 연간 240만 원 = 연간 수익률 15%

이 물건의 경우 경매도 예상했기 때문에, 기회가 오길 기다렸다.

때마침 7채의 물건이 나오고 입찰에 참여했다. 처음 이 물건은 낙찰자가 보증금을 포기하면서 잔금을 미납했던 것으로 알려진 물건이었는데, 알아보니 집이 엉망이고 결로도 심해 잔금 납부를 일부러 하지 않은 상태였다.

나는 처음부터 물건의 상태가 아주 좋지 않다는 걸 잘 알면서도 법원에 입찰서를 제출했다. 그리고 점심을 먹으러 구내식당에 갔다가 법원 직원들의 이야기를 듣게 되었다.

"와, 오늘 물건도 별로 없는데 사람들이 왜 이렇게 많이 왔어?"

"그 물건 장난 아니게 개판이래."

나는 그러한 이야기에도 별 생각 없이 낙찰가를 임대수익률에 맞추어 냈고, 낙찰이 되면 충분한 수리를 통해 다 해결할 수 있으리라 믿었다.

훗날 이야기지만 잔금을 미납한 이 낙찰자는 나중에 또 나에게 일반 매매로 물건을 싼값에 매도하는 실수를 여러 번 하고 난 후, 시세가 급등하자 다시 아파트를 매입하기 시작했다.

당시 나는 초조하게 법원 입찰장에서 최고가매수인으로 내 이름이 호명되길 마음속으로 간절하게 바라고 있었다. 뚜껑을 열어보니 내가 7채 모두를 낙찰 받았다.

2006타경 • 매각기일 : • 경매 (전화:041-660-0692)

소재지	충청남도		
물건종별	아파트(16평형)	감정가	33,000,000원
대지권	28.54m²(8.633평)	최저가	(49%) 16,170,000원
건물면적	39.66m²(11.997평)	보증금	(20%) 3,240,000원
매각물건	토지·건물 일괄매각	소유자	
개시결정		채무자	
사건명	임의경매	채권자	

오늘조회: 1 2주누적: 0 2주평균: 0 조회동향

구분	입찰기일	최저매각가격	결과
1차	2007-04-02	33,000,000원	유찰
	2007-05-07	23,100,000원	변경
2차	2008-10-14	23,100,000원	유찰
3차	2008-10-28	16,170,000원	낙찰
낙찰 23,800,000원(72.12%) / 10명 / 미납			
4차	**2009-02-02**	**16,170,000원**	
낙찰 : 24,520,000원 (74.3%)			
(입찰15명, 낙찰: 고)			
매각결정기일 : 2009.02.09 - 매각허가결정			
대금지급기한 : 2009.03.18			
배당기일 : 2009.05.20			
배당종결 2009.05.20			

사진 펼쳐보기

사진 | 토지등기 | 건물등기 | 감정평가서 | 현황조사서 | 매각물건명세서 | 기일내역 | 문건/송달내역
전자지도 | 전자지적도 | 로드뷰 | 온나라지도+

• **매각물건현황**(감정원 : 제일감정평가 / 가격시점 : 2006.12.29)

목록	구분	사용승인	면적	이용상태	감정가격	기타
건물	15층중 11층		39.66m² (12평) (16.85평형)	방2,주방외	28,000,000원	* 총5개동 435세대 * LPG/ 개별온수난방
토지	대지권		14715m² 중 28.54m² * 토지별도등기있음		5,000,000원	

사건번호	소재지	감정가/최저가/낙찰가	결과	매각기일	조회수
06-12355(6) 아파트	충청남도 서산시 [대지권 28.54m², 건물 39.66m² / 토지별도등기있음]	33,000,000 16,170,000 24,520,000	낙찰 (49%) (74%)	2009.02.02 (10:00)	629
06-12355(20) 아파트	충청남도 서산시 [대지권 28.54m², 건물 39.66m² / 토지별도등기있음]	33,000,000 16,170,000 24,520,000	낙찰 (49%) (74%)	2009.02.02 (10:00)	467
06-12355(34) 아파트	충청남도 서산시 [대지권 28.54m², 건물 39.66m² / 토지별도등기있음]	33,000,000 16,170,000 24,520,000	낙찰 (49%) (74%)	2009.02.02 (10:00)	364
06-12355(113) 아파트	충청남도 서산시 [대지권 28.54m², 건물 39.66m² / 토지별도등기있음]	32,000,000 15,680,000 24,520,000	낙찰 (49%) (77%)	2009.02.02 (10:00)	340
06-12355(122) 아파트	충청남도 서산시 [대지권 28.54m², 건물 39.66m² / 토지별도등기있음]	32,000,000 15,680,000 24,520,000	낙찰 (49%) (77%)	2009.02.02 (10:00)	319
06-12355(135) 아파트	충청남도 서산시 [대지권 28.54m², 건물 39.66m² / 토지별도등기있음]	33,000,000 16,170,000 24,520,000	낙찰 (49%) (74%)	2009.02.02 (10:00)	333
06-12355(143) 아파트	충청남도 서산시 [대지권 28.54m², 건물 39.66m² / 토지별도등기있음]	32,000,000 15,680,000 24,520,000	낙찰 (49%) (77%)	2009.02.02 (10:00)	460

법원에서 발표한 7건의 경매에서 내가 계속 1등으로 낙찰되자 사람들은 웅성거리기 시작했다.

"왜 저 사람은 그냥 매매로 사지? 저렇게 높은 금액으로 낙찰을 받을까?"

이 당시 이 아파트의 매매가는 2300 ~ 2500만 원이었기 때문에 이상하게 여기는 것도 당연했다.

그러나 내가 경매에 참여한 단 한 가지 이유는 매매와 달리 부동산에 대한 대출을 조금 더 많이 해준다는 것이었다.

낙찰가 2450만 원 - 대출 1700만 원 + 보증금 500만 원
= 실투자금액 250만 원 + 제반 비용 100만 원 = 350만 원

350만 원 * 7채
= 총 투자금액 2450만 원 / 월 90만 원(500/ 25기준)

나는 이 경매물건들을 통해 2450만 원을 투자하고 매달 90만 원의 월세 수입을 만들었다.

이처럼 나는 일반 매매를 통하여 대출을 놓기도 하고, 최우선변제금액인 1400만 원의 월세도 놓고,(최우선변제금이란 해당물건이 경매로 매각되더라도 임차인이 안전하게 배당받을 수 있는 금액을 말한다. 보통 중개업소에서 월세를 놓을 때 위 금액까지 보증금을 받을

수 있도록 해준다) 매매로 전세를 놓기도 하는 등의 방법으로 총 15채를 구입했다. 이 모든 투자의 실투자금액은 3000만 원에 불과했다.

이 지역에 투자할 때 내가 고려한 조건들은 다음과 같다.

첫 번째, 초등학교가 아파트로부터 200m 안에 있기 때문에 초등학생을 가진 부모들이 선호할 것이라 생각했다. 지방 아파트의 대부분이 초등학교와 멀리 있어 통학의 어려움을 가진 것과 달리, 스스로 통학할 수 있는 조건이 성립되어 있었다.

두 번째, 우리나라는 사실상 1995년 이후 건축법이 강화되기 시작했는데, 이는 성수대교와 삼풍백화점의 붕괴 때문이었다. 이 아파트는 1999년에 지어진 것으로 건축법이 강화된 이후 지어졌기 때문에 별다른 생각 없이 투자하게 되었다.

세 번째, 임대수익률이 10%가 넘는 수익률로 금융 대출을 동원하면 수익률이 70%에 육박할 정도였다.

네 번째, 기업 유치가 지속적으로 이루어지는 지역이며, 아파트에서 반경 5 ~ 10km부근에 공단이 즐비했다.

다섯 번째, 이러한 기업 유치로 인해 다른 지방 지역들과 달리 서산은 인구가 꾸준히 유입되어 2020년경 20만 명을 넘어설 것으로 예상했다.

여섯 번째, 서산 외곽순환도로가 지적도상에 예정되어 있었으므로, 향후 빠른 출퇴근으로 인해 공단과 더욱 가까운 위치로 변화될 것이

눈에 보였다.

일곱 번째, 16평의 아파트의 값이 2000만 원 선으로, 평당 건축비가 125만 원에 불과했다. 이 당시 지방의 신규 아파트 분양가는 평당 6백만 원 수준이었다.

감가상각(토지를 제외한 고정 자산에 생기는 가치의 소모를 셈하는 회계상의 절차. 고정 자산 가치의 소모를 각 회계 연도에 할당하여 그 자산의 가격을 줄여 간다.)을 고려해도 현 시점에서 그 당시 아파트 시세는 상당히 매력있는 금액이었다.

시간이 흘러 아파트 매매값은 제 가치를 찾아서 올라가기 시작했다. 2800만 원, 3000만 원, 3500만 원, 4000만 원, 5000만 원, 5500만 원까지 안정적으로 상승했다.

나는 2000만 원대에 매입했던 아파트들을 하나둘씩 처분해가면서 새로운 투자를 위한 종잣돈 만들기를 했다.

또한 보유한 아파트의 월세 시세가 상승해 500/25에 임대를 놓던 것이 500/30으로 올라 매달 35만 원의 수입이 증가했다. 즉, 90만 원의 월세 수입이 125만 원으로 증가한 것이다. 그런데 더불어 대출금리 역시 하락하여 이자 비용이 매달 25만 원 감소하였다.

결과적으로 매달 150만 원, 연간 1800만 원의 임대 수입을 올릴 수 있게 된 것이다. 사채시장의 이자율보다 높은 매년 안정적인 74%의 수익률이다. 또한 5년간 이 돈을 한 푼도 쓰지 않는다면, 1억 원의 돈을 만들어 낼 수 있었다.

2450만 원을 투자하여 매년 1800만 원의 월세 수입과 매도한 시세 차익 3천만 원의 총 합계는 4800만 원인데, 분할매각을 통해 매년 평균 4000만 원대의 총알을 계속 만들 수도 있다.

이 아파트를 다 처분한다면 나는 얼마의 수익을 얻게 될까? 실투자 금액은 3000만 원에 불과하지만, 총 15채의 수익을 한 가구당 2000만 원이라 예상한다면 세금을 고려하지 않은 상태에서 대략적으로 3억 원 정도로 추정할 수 있다.

분할 매각을 통해 세금을 절세하면서 매년 4000만 원씩 7년 이상 안정적인 현금을 만들어낼 수 있는 것이다.

주식 투자로 3000만 원으로 3억을 만들기란 가능은 하겠지만, 안정적인 임대 수입과 동시에 이러한 수익률을 낼 수는 없을 것이다.

원주 - 50채의 아파트를 매입하다

주식과 부동산은 다르지만, 투자의 원칙은 비슷할 것이라 생각했다. 그래서 그동안 공부했던 모든 것을 버리기보단 어떻게 하면 주식 기법을 부동산에 접목할 수 있는지에 대한 연구에 몰입했다.

원주의 아파트 시세는 10년 가깝게 정체를 보이고 있었다. 2005년 24평 아파트의 매매 가격이 5000만 원이었는데, 2011년 아파트 매매

가격도 동일하게 거래되고 있었다. 10년이라는 시간 동안 원주 지역 근로자들의 소득은 증가했는데, 아파트값은 오르지 않았던 것이다.

근로자의 소득은 매년 조금씩 인상하게 되어 있다. 이로 인해 화폐 가치의 하락이 이루어지고 인플레이션이 발생하는 것인데, 원주는 계속 제자리에서 맴돌고 있었다.

2005년 도시 근로자의 월 소득 평균은 3,252,090원이었는데, 2011년 도시 근로자의 월 소득은 4,248,619원이었다.(통계청에 접속하면 가계수지항목별분야에서 도시 근로자의 월 소득을 매년 확인할 수 있다.) 2005년 도시 근로자의 연 소득은 총 3900만 원이고, 2011년 도시 근로자의 연 소득은 5097만 원이다.

이렇듯 지난 수년 동안 소득이 1000만 원 이상 증가했는데, 아파트 시세는 그대로인 것이다.

부동산 시장의 가치 평가를 판단하는 수단으로 PIR(Price Income Ratio)이 있다. PIR이란 아파트 가격을 연평균 도시 근로자 소득을 적용해 산출한 것이다.

예를 들어 PIR이 10이면 도시 근로자의 10년치 소득을 이야기한다.

5000만 원에 거래되는 아파트값에 2005년 공식을 적용하면 도시 근로자 소득 대비 PIR 1.28에 거래되고 있었던 반면, 2011년은 도시 근로자 소득 대비 PIR 0.98에 거래되고 있는 셈이다.

쉽게 설명하면 소득 대비 1년 2.8개월 만에 내 집을 마련할 수 있다는 것이다.(물론 지역마다 소득이 다르게 때문에 PIR이 다르게 나타날 수 있다.) 이처럼 2011년은 소득대비 0.98개월 만에 내 집을 마련할 수 있으니 내 집 마련이 더 쉬워졌다.

2005년 매매가 5000만 원 / 도시 근로자 연 소득 3900만 원
= PIR 1.28(1년 2.8개월)

2011년 매매가 5000만 원 / 도시 근로자 연소득 5097만 원
= PIR 0.98(9.8개월)

이 공식을 통해 과거 시세보다 이 지역의 아파트가 저평가되고 있음을 확인할 수 있다.

도시 근로자 소득은 매년 일정하게 3 ~ 5%씩 증가하여 미래 소득을 추정할 수 있다. 아르바이트 임금 역시 1시간당 2007년 3480원이었던 최저임금이 2014년에 4860원, 2015년에는 5580원이 되었다.

그럼 투자를 해서 5년 후에도 제자리를 맴돈다면 소득 대비 집값은 어떻게 될 것인가?

5000만 원의 아파트를 구매한다 가정할 때, 2015년 연 소득 5736만 원을 주입하면 PIR 0.87. 소득 대비 8.7개월 만에 내 집을 마련할 수 있다는 결론이 나온다.

지난 수년간 정체를 보였던 시세인 2005년 도시 근로자의 PIR

1.28(1년2.8개월)까지 집값이 오른다면 7342만 원까지 아파트 시세는 무조건 오를 것이다.

2015년 도시 근로자 연 소득 5736만 원 * PIR 1.28
= 미래 평균 아파트 시세 7342만 원

이렇게 계산을 마친 나는 투자 준비를 끝내고 아침이 밝길 기다리며 채비를 하고 원주로 나섰다. 원주에 가기 전에 인터넷 지도를 통해 내가 살고 있는 동네처럼 머릿속에 그림을 그렸다. 물론 오랜 기간 그 지역에 살고 있는 사람이 그 지역을 잘 알겠지만, 지도를 통해 많은 시간을 보고 또 보기를 반복하면 그 지역에 살고 있는 사람과 대등하게, 오히려 더 잘 알 수 있다.

며칠간 그렇게 지도를 보면서 분석하니 원주의 단구동이 새롭게 젊은 층이 선호할 만한 곳이자, 충분히 앞으로 시세가 많이 오를 것이라 판단되었다.

2011년 2월경 제주에서 횡성공항에 도착하여 다시 택시를 타고 원주로 향했다. 일단 투자금을 최소화하기 위해 경매로 입찰을 하기위해 물건지 인근 부동산에 시세를 물어보았다.

"여기 청솔 아파트는 요즘 시세가 얼마나 가나요?"

중개인은 짜증나는 말투로 답했다.

"5500 ~ 6000만 원 정도 갑니다. 거래는 잘 안 돼요. 사시려고요?"

"네. 그냥 푼돈이 있어서 사서 임대 놓을까 생각 중인데요. 전월세는 시세가 어떻게 됩니까?"

"전세는 5000만 원, 월세는 1000/35 이렇게 나갑니다. 매매 물건은 어디 보자……. 5000만 원에 1층, 5800만 원에 12층 등 사장님 보여드릴 만큼 여러 개 있습니다. 지금 보실래요?"

"일단 알겠습니다. 다음에 또 방문할게요."

입찰하려던 물건은 감정가 6000만 원인데, 매매 시세가 그 이하이니 분명 단독 낙찰이 가능할 것 같았다.

경매로 내가 입찰하려고 한 이유는 단 한 가지다. 그 당시 경락잔금대출이 낙찰가에 85%가 가능했기 때문에 나는 최대한 내 실투자금을 적게 투자하고자 했다. 입찰 전에 미리 경락대출상담사에게 연락하면 낙찰가 대비 대출 금액을 알 수 있다.

낙찰가 6000만 원 – 대출 5100만 원
= 900만 원 + 제반 비용 200만 원

총 1100만 원의 실투자금이 필요하지만, 보증금1000/35만 원의 월세를 놓으면 총100만 원의 실투자금으로 아파트를 소유할 수 있다.

또 6%의 대출 이자를 제외하고 매달 10만 원의 이자가 발생하기 때문에, 결과적으로 100만 원을 투자하여 매년 120만 원의 임대 수입이 생기니 투자 수익률이 100%가 넘었다. 지난 수년간 매매 가격 정체로 소득 대비 집값이 터무니없이 저평가이니 돈 버는 건 시간문제였다.

법원에 도착하여 매점에 들러 사람들이 얼마나 있는지 살펴보았다. 생각보다 많지 않았기 때문에 나는 감정가 6000만 원에 나의 교통비를 포함해 입찰가를 썼다. 신건인지라 생각보다 시간이 많이 걸렸고, 결국 사람들이 별로 남지 않았다.

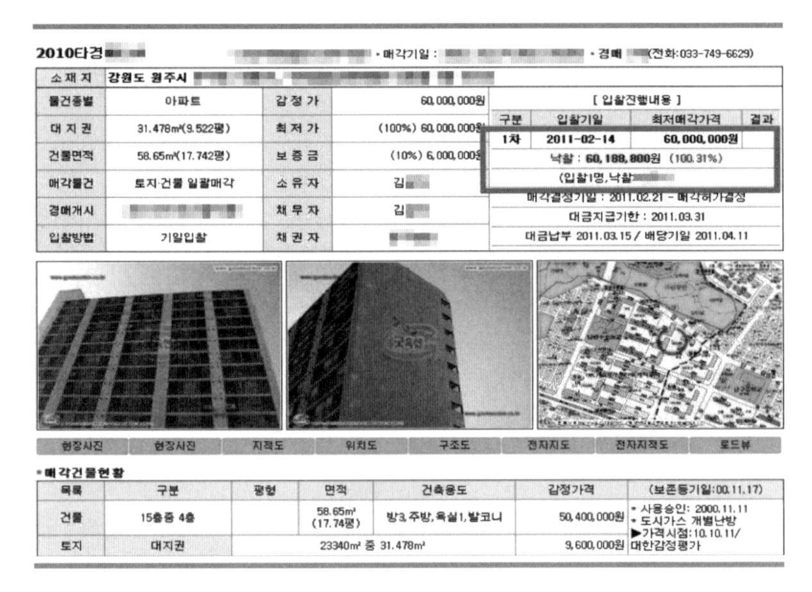

2010타경 · 매각기일 : · 경매 (전화:033-749-6629)

소재지	강원도 원주시			
물건종별	아파트	감정가	60,000,000원	[입찰진행내용]
대지권	31.478㎡(9.522평)	최저가	(100%) 60,000,000원	구분 / 입찰기일 / 최저매각가격 / 결과
건물면적	58.65㎡(17.742평)	보증금	(10%) 6,000,000원	1차 / 2011-02-14 / 60,000,000원
매각물건	토지·건물 일괄매각	소유자	김	낙찰 : 60,188,800원 (100.31%)
경매개시		채무자	김	(입찰1명,낙찰)
입찰방법	기일입찰	채권자		매각결정기일 : 2011.02.21 - 매각허가결정
				대금지급기한 : 2011.03.31
				대금납부 2011.03.15 / 배당기일 2011.04.11

현장사진 | 현장사진 | 지적도 | 위치도 | 구조도 | 전자지도 | 전자지적도 | 로드뷰

▪매각건물현황

목록	구분	평형	면적	건축용도	감정가격	(보존등기일:00.11.17)
건물	15층중 4층		58.65㎡ (17.74평)	방3,주방,욕실1,발코니	50,400,000원	* 사용승인: 2000.11.11 * 도시가스 개별난방 ▶가격시점:10.10.11/ 대한감정평가
토지	대지권	23340㎡ 중 31.478㎡			9,600,000원	

한참의 시간이 흐른 뒤 입찰 발표가 시작되었고, 낙찰자는 나오라는 호명에 나가 보니 예상대로 단독 입찰이었다.

얼마 남지 않은 사람들은 웅성거리기 시작했다.

'제주도에서 왜 원주까지 경매를 하러 온대?'

'저 금액이면 그냥 부동산에서 사지. 바보 아냐?'

여러 사람들의 이야기에도 나는 마음속으로 무척 신나고 기뻤다. 단돈 100만 원으로 도시 근로자 소득 대비 저평가된 부동산 투자를 할 수 있었기 때문이다.

그렇게 나는 경매 물건이 나올 때마다 제주에서 원주까지 입찰을 하러 갔고, 가끔 시간이 늦어 입찰을 포기하는 일이 생기자 아예 입찰 전 날 원주에 위치한 호텔에 숙박하며 차분하게 입찰을 준비했다.

그 결과 나는 여러 물건들을 시세 수준으로 낙찰 받을 수 있었다. 그 물건들은 모두 실투자금 100만 원 수준에서 대부분 낙찰 받았고, 전부 월세를 놓았다.

내가 이렇게 항상 낙찰을 받을 때마다 사람들은 대부분 웅성거렸다.

'왜 신 건에, 그것도 혼자서 감정가보다 몇백만 원이나 올려서 낙찰 받지?'

그리고 급기야 법원에서 나를 자주 본 사람들은 나에게 묻기 시작했다.

"왜 이렇게 낙찰 받으시나요?"

나는 간단하게 대답했다.

"아파트 시세가 너무 저평가됐습니다."

그들은 저평가됐다는 것에 대해 모른다. 단지 싸게 사려고만 집중

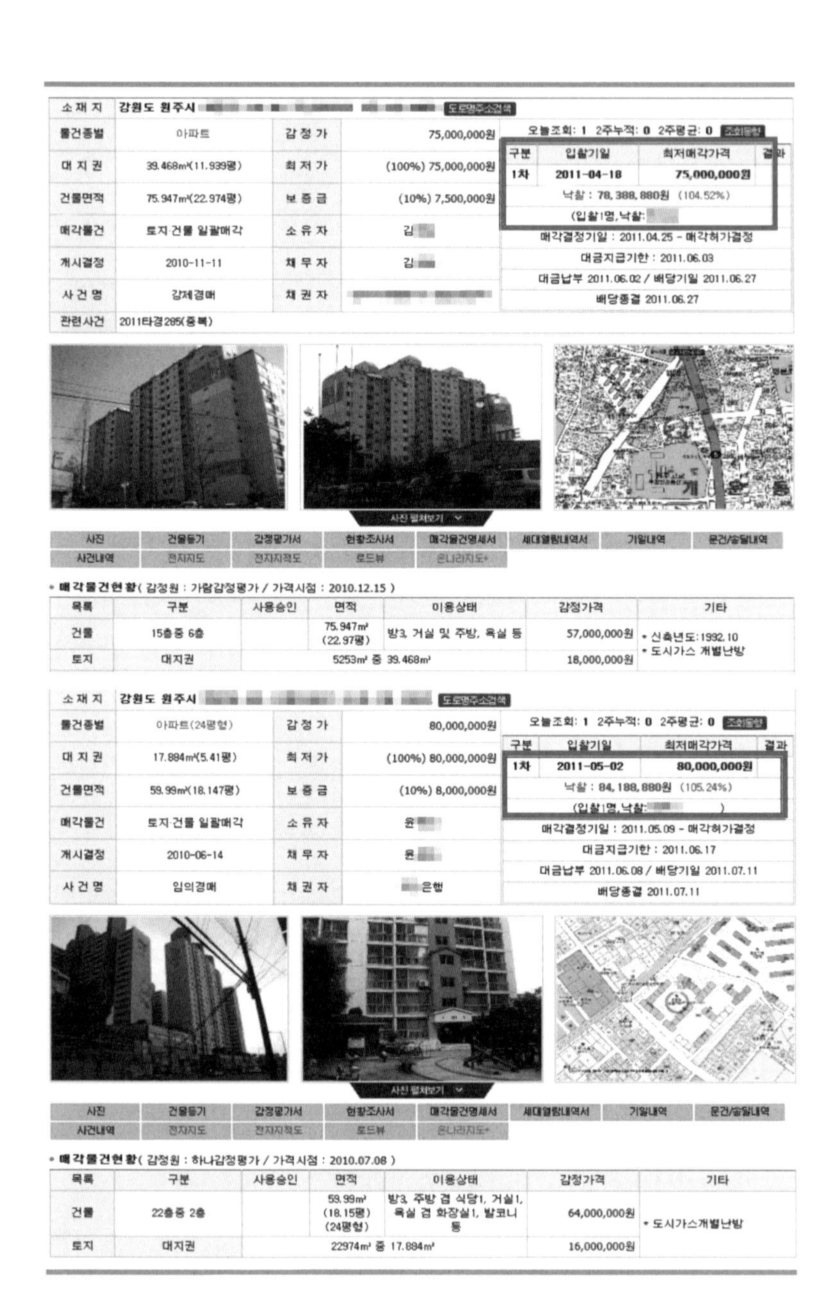

소재지	강원도 원주시 도로명주소검색			
물건종별	아파트	감정가	75,000,000원	오늘조회: 1 2주누적: 0 2주평균: 0 조회동향
대지권	39.468㎡(11.939평)	최저가	(100%) 75,000,000원	구분 / 입찰기일 / 최저매각가격 / 결과
건물면적	75.947㎡(22.974평)	보증금	(10%) 7,500,000원	1차 / 2011-04-18 / 75,000,000원
매각물건	토지·건물 일괄매각	소유자	김	낙찰 : 78,388,880원 (104.52%) (입찰1명,낙찰:)
개시결정	2010-11-11	채무자	김	매각결정기일 : 2011.04.25 - 매각허가결정
사건명	강제경매	채권자		대금지급기한 : 2011.06.03
				대금납부 2011.06.02 / 배당기일 2011.06.27
				배당종결 2011.06.27
관련사건	2011타경285(중복)			

사진 펼쳐보기

사진 | 건물등기 | 감정평가서 | 현황조사서 | 매각물건명세서 | 세대열람내역서 | 기일내역 | 문건/송달내역 | 사건내역 | 전자지도 | 전자지적도 | 로드뷰 | 온나라지도+

• **매각물건현황**(감정원 : 가람감정평가 / 가격시점 : 2010.12.15)

목록	구분	사용승인	면적	이용상태	감정가격	기타
건물	15층중 6층		75.947㎡ (22.97평)	방3, 거실 및 주방, 욕실 등	57,000,000원	• 신축년도:1992.10 • 도시가스 개별난방
토지	대지권		5253㎡ 중 39.468㎡		18,000,000원	

소재지	강원도 원주시 도로명주소검색			
물건종별	아파트(24평형)	감정가	80,000,000원	오늘조회: 1 2주누적: 0 2주평균: 0 조회동향
대지권	17.884㎡(5.41평)	최저가	(100%) 80,000,000원	구분 / 입찰기일 / 최저매각가격 / 결과
건물면적	59.99㎡(18.147평)	보증금	(10%) 8,000,000원	1차 / 2011-05-02 / 80,000,000원
매각물건	토지·건물 일괄매각	소유자	윤	낙찰 : 84,188,880원 (105.24%) (입찰1명,낙찰:)
개시결정	2010-06-14	채무자	윤	매각결정기일 : 2011.05.09 - 매각허가결정
사건명	임의경매	채권자	은행	대금지급기한 : 2011.06.17
				대금납부 2011.06.08 / 배당기일 2011.07.11
				배당종결 2011.07.11

사진 펼쳐보기

사진 | 건물등기 | 감정평가서 | 현황조사서 | 매각물건명세서 | 세대열람내역서 | 기일내역 | 문건/송달내역 | 사건내역 | 전자지도 | 전자지적도 | 로드뷰 | 온나라지도+

• **매각물건현황**(감정원 : 하나감정평가 / 가격시점 : 2010.07.08)

목록	구분	사용승인	면적	이용상태	감정가격	기타
건물	22층중 2층		59.99㎡ (18.15평) (24평형)	방3, 주방 겸 식당1, 거실1, 욕실 겸 화장실1, 발코니 등	64,000,000원	• 도시가스개별난방
토지	대지권		22974㎡ 중 17.884㎡		16,000,000원	

2010타경 · 매각기일 : · 경매 (전화:033-749-6631)

소 재 지	강원도 원주시						
물건종별	아파트	감 정 가	55,000,000원	[입찰진행내용]			
대 지 권	29.756㎡(9.001평)	최 저 가	(100%) 55,000,000원	구분	입찰기일	최저매각가격	결과
건물면적	49.61㎡(15.007평)	보 증 금	(10%) 5,500,000원	1차	2011-04-04	55,000,000원	
매각물건	토지·건물 일괄매각	소 유 자	김	낙찰 : **56,188,880원** (102.16%)			
경매개시	2010-09-30(신법적용)	채 무 자	김	(입찰3명,낙찰:)			
입찰방법	기일입찰	채 권 자	박	매각결정기일 : 2011.04.11 - 매각허가결정			

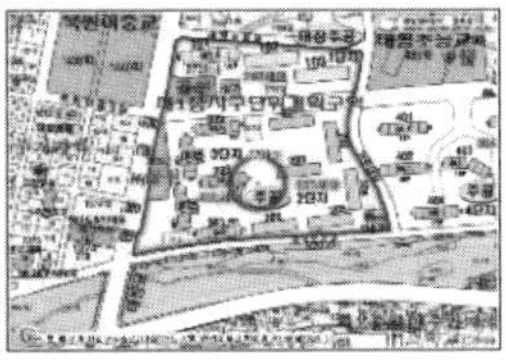

현장사진 | 현장사진 | 지적도 | 위치도 | 구조도 | 전자지도 | 전자지적도 | 로드뷰

• 매각건물현황

목록	구분	평형	면적	건축용도	감정가격	(보존등기일:97.07.15)
건물	15층중 6층		49.61㎡ (15.01평)	방2,식당겸주방등	44,000,000원	• 개별난방 ▶가격시점:10.10.18/ 하나감정평가
토지	대지권	29627.1㎡ 중 29.7555㎡			11,000,000원	
현황 위치	• 부근은 본 건 서측으로 단독주택 및 다가구주택 등으로 형성된 정비된 주택지대임 • 주변은 태장주공1,2,4단지가 위치하는 아파트지대로서 제반주위환경은 양호함 • 본 건까지 제반차량의 출입이 자유로우며, 버스정류장이 인근에 위치하여 제반교통사정은 양호함 • 부정형 평지로서 아파트 부지로 이용중임, 서측 및 북측으로 왕복 4차선 아스팔트 포장도로, 동측으로 노폭 약 10미터 내외의 아스팔트포장도로, 남측으로 노폭 약 8미터 내외의 콘크리트 포장도로에 접함					

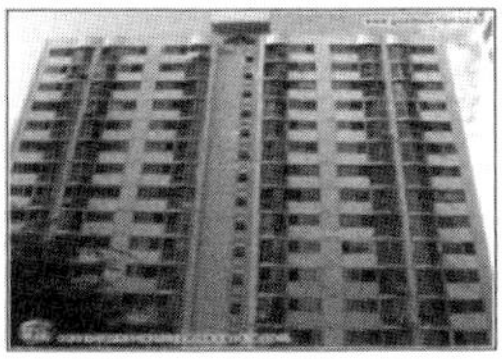

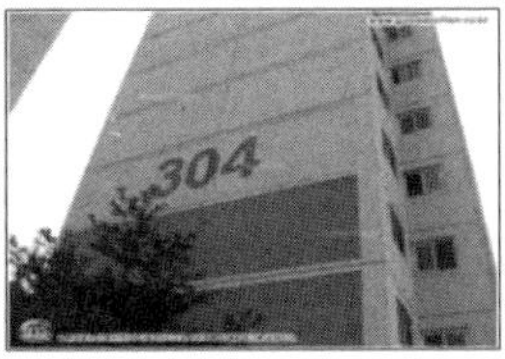

2010타경 · · 매각기일 : · 경매 (전화:033-749-6631)

소 재 지	강원도 원주시						
물건종별	아파트	감 정 가	52,000,000원	[입찰진행내용]			
대 지 권	23.488㎡(7.105평)	최 저 가	(100%) 52,000,000원	구분	입찰기일	최저매각가격	결과
건물면적	49.14㎡(14.865평)	보 증 금	(10%) 5,200,000원	1차	2011-04-04	52,000,000원	
매각물건	토지·건물 일괄매각	소 유 자	김	낙찰 : **53,288,880원** (102.48%)			
경매개시	2010-10-07(신법적용)	채 무 자	김	(입찰2명,낙찰:			
입찰방법	기일입찰	채 권 자		매각결정기일 : 2011.04.11 - 매각허가결정			

현장사진 | 현장사진 | 지적도 | 위치도 | 구조도 | 전자지도 | 전자지적도 | 로드뷰

• 매각건물현황

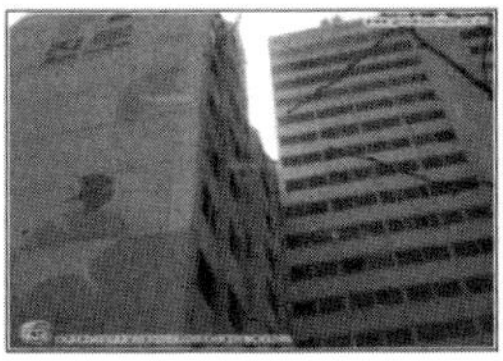

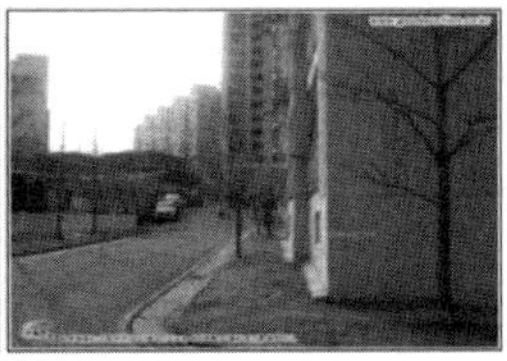

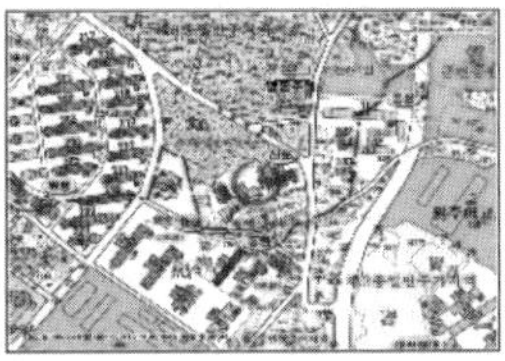

목록	구분	평형	면적	건축용도	감정가격	(보존등기일:99.12.21)
건물	18층중 15층		49.14㎡ (14.86평)	방2,거실등	41,600,000원	▶가격시점:10.11.10/ 삼창감정평가
토지	대지권	8629㎡ 중 23.488㎡			10,400,000원	
현황 위치	• 본건 주위는 단독주택과 공동주택이 혼재하는 기존주택지대로서 제반주위환경은 보통시됨 • 본건까지 차량접근 가능하고 제반교통사정은 보통시됨 • 부정형의 완경사지를 계단식으로 평탄하게 조성한 아파트 부지임, 단지내 도로를 이용하여 출입함					

참고사항	• 외필지:원동 300-98번지

한다.

투자에서 가장 중요한 건 싸게 사는 것만이 아니다.

도시 근로자 소득 + 임대수익률 + 평당 시세

이 모든 걸 종합해서 접근해야 한다.

당시 임대수익률은 7%를 넘어서고, 평당 시세는 200 ~ 300만 원 이하에서 거래되며 소득대비 저평가되고 있었다.

지방 아파트들의 시세가 계속 오르던 시기에 원주는 위에서 이야기한 대로 오르지 않은 시세에 평창 동계 올림픽의 유치 실패까지 더해져 투자 수요가 발생하지 않았고, 제자리걸음을 지난 수년간 지속했던 것이다.

이곳에서 과거 흐름을 파악하기 위해 부동산 잡지를 읽으며 노력했던 것을 유용하게 활용할 수 있었다.

10년 전과 아파트 시세가 동일하게 거래되는 동안, 도시 근로자 소득은 연간 1000만 원 정도 증가했다. 더욱이 주택 공급이 이루어지지 않아 향후 공급 물량도 많지 않았다.

공급이 이루어지려면 집값이 상승해야 하는데 오랜 기간 시세 상승이 이루어지지 않아 분양이 잘 이루어지지 않았고, 또 2번의 유치 실패는 원주를 저평가로 만들기에 충분했다.

부동산에서 거래되는 아파트는 20평대가 매매 5000만 원, 전세

4500만 원에 가능했고, 많지는 않았지만 어떤 물건은 매매가와 전세가가 동일한 경우도 있었다.

여러 군데의 부동산을 통해 매입을 했는데 대부분 사람들이 오랜 기간 시세 정체에 지친 나머지 쉽게 부동산을 처분했다. 나는 마음속으로 회심에 미소를 지었다.

에피소드 〉〉 순식간에 매입한 아파트 20채

"사장님, 이 동네에 나와 있는 물건들 모두 전세 5000만 원에 놓아주세요."

"아니, 손님. 지금 전세 시세가 4000만 원인데 어떻게 5000만 원에 놔요. 말도 안 되지."

"현재 시세가 그 정도인 건 저도 당연히 알고 있습니다. 그렇지만 앞으로 전세 가격이 500 ~ 1000만 원 정도는 상승할 테니까, 최대한 5000만 원에 매물 맞춰주세요."

"아이고… 동네 시세라는 게 있는데 그렇게 고집을 하시면……. 손님이 원하시니 한 번 올려보긴 하겠지만 안 되면 저도 어쩔 수 없습니다."

"사장님, 저랑 내기 한번 해보실래요? 향후 3개월 안에 전세는 4000만 원에서 5000만 원으로, 매매가는 5000만 원에서 7000만 원까지 오를 겁니다."

"손님 입장에서야 당연히 오를 거라고 생각하시겠지만, 저는 이곳에서만 10년 넘게 부동산 운영해 왔어요. 그런데 제가 보기에는 그 정도로 오를 가능성은 없어 보입니다. 뭐 전세야 요즘 하도 귀하니 혹시 모르지만요. 우선은 원하시는 대로 그 가격으로 매물을 올려놓긴 하겠습니다."

부동산 사장은 어쩌면 나를 정신 나간 놈으로 보고 있을지도 모른다.

하긴. 젊은 사람이 어느 날 갑자기 나타나 다짜고짜 이 동네 매물을 모두 매입한 것도 모자라, 터무니없는 가격에 전세를 맞춰 달라 고집을 부리니 그렇게 보는 것도 무리수는 아니지.

이 한곳에서 10년 이상 중개업을 한 사장은 매매와 전세 가격 상승에 대해 확신에 차 있는 나와는 달리 모든 것을 의심하는 눈초리였다.

다만 내가 순식간에 20채의 건물을 매입했기에 나의 의견을 무시할 수 없어 마지못해 대답을 했을 뿐. 만약 내가 1 ~ 2채 정도 건물을 매입하고 이런 요구를 했다면, 아마 사장은 정말 나를 미친놈으로 여겼을지도 모른다.

지금껏 200채에 가까운 아파트를 매매하며 느낀 것이지만, 한곳에서 오랫동안 중개업을 했다는 이유로, 그들이 모든 것을 아는 것처럼 착각하는 사람들이 의외로 많다. 가까운 곳에 있었기 때문에 그곳에 대해 매우 잘 알 것이라 여기는 것이다.

그러나 오히려 그 때문에 시장의 변화를 느끼지 못하는 경우가 있음에도 대부분은 그걸 인정하려 들지 않는다. 특히 부동산 시장에서는 더욱 그렇다.

간단한 수리와 입주 청소를 한 후, 전세는 쉽게 나갔다. 대부분의 임대인들이 수리와 입주 청소를 해주지 않기 때문이다.

그렇게 나는 또다시 단돈 100 ~ 200만 원이 넘는 않는 금액으로 쉽게 부동산을 매입할 수 있었다.

전세 시세가 매매가의 100% 수준이며, 임대수익률도 8.5% 수준이라 사실상 임대만 놓아도 8년 정도면 월세 수입만으로 원금을 회수할 수 있었다.

나는 경매뿐만 아니라 일반 매매를 통해 더욱 공격적으로 아파트를 매입했다. 일단 공략할 투자 대상으로 매매가와 전세가의 시세가 동일한 물건부터 찾기 시작했다.

2011년 2월부터 매입하기 시작한 아파트를 더욱 가속화시켜 매입하게 된 건 신규로 알게 된 어느 중개업소 덕분이었다. 그래서 그간 힘들게 매입했던 방법 대신 제주에서 전화로 중개인에게 아파트 내부를 대신 살펴보게 하고 이상이 없으면 매입했다.

물론 실투자금은 100 ~ 1000만 원 내외로 투자하려고 노력했고, 아는 지인들까지 아파트를 매입해 주었다.

부동산에서 계약서를 쓸 때마다 사람들은 오랜 기간 횡보한 시세에 지쳐 계약서를 작성했다. 그리고 반대로 매입 과정에서 많은 사람들이 매도를 해야 할지 고민하는 것도 여러 번 보았다.

혹시나 오르지 않을까 하는 생각과 아쉬움을 가진 사람들도 많았고, 부동산에 계약서를 작성하러 왔다가 안 되겠다면서 다시 문을 열고 나갔다 되돌아와서 계약서를 작성한 사람들도 많았다.

그러한 이유인즉 지방 부동산 시장은 오랫동안 부동산 상승이 이루어지지 않았기 때문에 사실상 소득 대비 집값이 매우 싸서, 팔아도 매도인들은 대출금이나 전세금을 상환하면 남는 게 별로 없었기 때문이다.

나는 총 50채의 아파트를 매입했고 4, 5월 시간이 흐를수록 아파트 시세는 조금씩 상승하기 시작했다. 당시 부산, 대구, 천안, 평택, 당진, 춘천을 비롯하여 대부분의 지방 소도시들까지 시세가 오르는 추세라 투자 수요가 원주까지 뻗었기 때문이다.

그해 7월, 드디어 대한민국은 3번째 평창올림픽에 재도전하였다. 2번의 탈락과 김연아의 등장 그리고 3번의 도전은 전국민의 관심을 모으기에 충분했다.

도시 근로자 소득 대비 저평가된 원주 지역의 평창올림픽 유치는 사실상 탈락된다면 더욱 큰 기회를 주기 때문에, 나로서는 내심 속으로 탈락하길 바라고 있었다.

그러나 결과는 내 생각과 달리 평창올림픽의 유치는 성공적으로 결정되었다.

다음 날 오전에 몇 군데 부동산에 전화하니 전화기에 불이 나서 못 받을 정도로 투자 문의가 급증했다고 했다. 원주 지역의 아파트값이 저평가된 상태에서 호재가 발생한 것이다.

시세는 하루가 다르게 상승했고, 5000만 원에 거래됐던 아파트 시세가 하루 만에 7000만 원까지 수직 상승 후, 한 달이 흐를 때까지 그 상승세를 유지하여 7000 ~ 7500만 원의 시세가 형성되었다.

오랜 기간 타 지방 도시들과 비교하여 상승폭이 적었던 부분이 오랜 기간 소득 대비 저평가된 것과 맞물려 평창동계올림픽 유치라는 호재로 전국 투자자들의 시선을 한 번에 받은 셈이다.

며칠 후, 부동산에서 연락이 왔다.

"사장님, 잘 지내시죠?"

"네, 안녕하세요."

"이전에 많이 매입하신 물건 중에 혹시 팔 생각 있으신 게 있나 해서요."

"글쎄요. 팔려고 생각은 하는데 지금 시세가 더 오르는 상황 아닌가요?"

"투자하고 싶어 하시는 분들은 많은데 물건이 없네요. 어떻게 생각 좀 해보세요."

나는 중개인의 이야기를 듣고 곰곰이 생각했다.

시장에 물건이 없는 건 당연했다. 물건을 가진 사람들은 당연히 매물을 내놓지 않을 것이다.

나는 지인들의 물건을 포함해서 그동안 매입했던 아파트들을 시장에 조금씩 내놓기 시작했다. 타 지역에서의 투자를 통해서 이렇게 기회가 존재하고 있다고 판단했기 때문이다.

매물을 내놓자, 바로 부동산에서 연락이 왔다.

"꼭 매입하고 싶어 하시는 분이 계신데 사장님 어떻게 조정이 좀 안 될까요?"

"글쎄요. 그분 아니더라도 사고 싶어 하시는 분들이이 워낙 많으셔서 조정할 생각은 없어요."

중개인은 나에게 애절하게 이야기했다.

"이분은 춘천에서 택시를 타고 원주까지 오셨어요. 80대 할머니이신데 사장님이 생각해서 조금만 조정을 해주시면 안 될까요?"

"흠… 알겠습니다."

누군가 내 뒤통수를 강하게 친 것 같은 충격이 들었다. 80대 할머니가 춘천에서 원주까지 택시를 타고 와서 투자를 할 정도라면, 2011년 7월의 시세는 앞으로 수년이 흘러도 사실상 50% 이상의 상승률을 보이기는 어렵다는 생각이 들었다. 더욱이 도시 근로자 소득 대비 집값 역시 평균치를 넘어서고 있었다.

지난 수년간 이 아파트의 평균값은 도시 근로자의 소득대비 PIR 1.28에 거래되고 있었다. 이 말인즉, 도시 근로자 소득 대비 1년 2.8개월 만에 집을 살 수 있다는 의미다.

그런데 나는 PIR 0.8에 구입했다. 그러나 급격한 상승으로 도시 근로자 소득 대비 PIR이 1.5을 넘어서기 시작했다.

집값이 오르면 임대수익률 역시 하락하는데, 임대수익률이 5% 미만이면 투자 매력이 없다. 내 입장에서 원주는 투자 기준 소득대비 PIR, 임대수익률, 평당 시세 모든 조건을 충족하지 못하고 있었다.

나는 시장에 물건을 내놓고 계속 정리를 시작했다.

처음 원주에 투자를 시작할 때, 태장동만은 모두가 꺼려했다. 그리고 당시 수많은 부동산에서 이렇게 조언했다.

1. 사장님 원주를 잘 몰라서 그러시는데 태장동만은 투자하지 마세요.
2. 거기는 원주에서도 태장민국으로 불리는 곳이에요.
3. 교통도 좋지 않고, 군부대가 이전하면 영향이 있을 수 있으니 잘 생각해서 투자하셔야 합니다.

무슨 대단한 전문가처럼 나를 설득하려는 듯 그들의 생각은 확고했다. 당연히 수십 년간 이 지역에서 부동산 중개인으로 살아온 이들의 마음은 이해한다.

하지만 저평가된 원인들을 자세히 살펴보면

1. 아파트값이 매우 싸다. (도시 근로자 연 소득 대비 8개월 만에 집을 구입

아파트 매매 계약서

매도인과 매수인 쌍방은 아래 표시 부동산에 관하여 다음 계약 내용과 같이 매매계약을 체결한다.

원주시

☎(033)

1. 부동산의 표시

소 재 지	강원도 원주시				
토 지	지 목	대	대지권 21601/29.508	면 적	29.508㎡
건 물	구조/용도	철근콘크리트구조/아파트		면 적	59.94㎡

2. 계약내용

제1조 (목적) 위 부동산의 매매에 대하여 매도인과 매수인은 합의에 의하여 매매대금을 아래와 같이 지불하기로 한다.

매매대금	금 오천이백만원정 (₩52,000,000)	
계 약 금	금 오백만원정은 계약시에 지불하고 영수함. 영수자( )	(인)
융 자 금	금	
중 도 금	금	에 지불한다.
	금	에 지불한다.
잔 금	금 사천칠백만원정은 2011년 8월 25일	에 지불한다.

제2조 (소유권 이전 등) 매도인은 매매대금의 잔금 수령과 동시에 매수인에게 소유권이전등기에 필요한 모든 서류를 교부하고 등기 절차에 협력하며, 위 부동산의 인도일은 2011년 8월 25일 로 한다.

제3조 (제한물권 등의 소멸) 매도인은 위 부동산에 설정된 저당권,지상권,임차권등 소유권의 행사를 제한하는 사유가 있거나, 제세공과 기타 부담금의 미납금 등이있을때에는 잔금 수수일까지 그 권리의 하자 및 부담등을 제거하여 완전한 소유권을 매수인에게 이전한다. 다만, 승계하기로 합의하는 권리 및 금액은 그러하지아니하다.

제4조 (지방세등) 위 부동산에 관하여 발생한 수익의 귀속과 제세공과금등의 부담은 위 부동산의 인도일을 기준으로 하되,지방세의 납부의무 및 납부책임은 지방세법의 규정에 의한다.

제5조 (계약의 해제) 매수인이 매도인에게 중도금(중도금이 없을 때에는 잔금)을 지불하기 전까지 매도인은 계약금의 배액을 상환하고, 매수인은 계약금을 포기하고 본 계약을 해제할 수 있다.

제6조 (채무불이행과 손해배상) 매도자 또는 매수자가 본 계약상의 내용에 대하여 불이행이 있을 경우 그 상대방은 불이행한자에 대하여 서면으로 최고하고 계약을 해제할 수 있다. 그리고 계약 당사자는 계약해제에 따른 손해배상을 각각 상대방에게 청구할 수 있으며, 손해 배상에 대하여 별도의 약정이 없는 한 계약금을 손해배상의 기준으로 본다.

제7조 (중개수수료) 부동산중개업자는 매도인 또는 매수인의 본 계약 불이행에 대하여 책임을 지지 않는다. 또한 중개수수료는 본 계약 체결과 동시에 계약 당사자 쌍방이 각각 지불하며,중개업자의 고의나 과실없이 본계약이 무효, 취소 또는 해지 되어도 중개수수료는 지급한다. 공동 중개인 경우에 매도인과 매수인은 자신이 중개 의뢰한 중개업자에게 각각 중개수수료를 지급한다.

제8조 (중개수수료 외) 매도인 또는 매수인이 본 계약 이외의 업무를 의뢰한 경우 이에 관한 보수는 중개수수료와는 별도로 지급하며 그 금액은 합의에 의한다.

제9조 (중개대상물확인설명서교부등) 중개업자는 중개대상물확인설명서를 작성하고 업무보증관계증서(공제증서등) 사본을 첨부하여 2011년 8월 3일 거래당사자 쌍방에게 교부한다.

특약사항

•매도인은 소유권이전청구권가등기 2007년 4월10일 제20992호 (2007 4월 10일 매매예약) 가등기권자 김종국 건은 잔금전에 해지 말소키로 한다 (해지에 필요한 금액전체를 매수인이 잔금에서 선지급후 잔금일에 차감키로한다

•근저당권설정 1995년 12월 29일 제46194호 채권최고액 금15,600,000원정 채무자 최상규 근저당권자 한국주택은행(원주지점)건은 잔금과 동시에 전액상환하고 해지말소키로 한다.

* 매도인은 각종 공과금에 대한 정산을 완료하여 준다.

본 계약을 증명하기 위하여 계약 당사자가 이의 없음을 확인하고 각각 서명 · 날인한다. **2011년 8월 3일**

매도인	주 소	강원도 원주시				
	주민번호	570511 -	전 화	011-	성 명	최
	대 리 인	전화 010-	주민등록번호	621120 -	성 명	
매수인	주 소	제주특별자치도 제주시				
	주민번호	800405 -	전 화	010-	성 명	고 (인)
	대 리 인	전화	주민등록번호	550315 -	성 명	김

중개업자	사무소소재지	강원 원주시	사무소소재지		
	사무소 명칭	공인중개사사무소	사무소 명칭		
	대 표	서명및날인	대 표	서명및날인	(인)
	등 록 번 호	강원 전화 033)731-	등 록 번 호		전화
	소속공인중개사	서명및날인 (인)	소속공인중개사	서명및날인	(인)

할 수 있다. 임대수익률 7%이상, 평당 200만 원)

2. 원주도 서울처럼 외곽순환도로를 건설 중이라 똑같은 생활권이 될 것이다.
3. 불편한 교통은 앞으로 좋아질 것이고, 군부대가 이전하면 상업 시설 및 녹지를 지닌 공원 시설이 들어올 것이다. 그렇게 되면 사람들의 시각도 달라질 가능성이 크다.

아파트 매매 계약서

매도인과 매수인 쌍방은 아래 표시 부동산에 관하여 다음 계약 내용과 같이 합의하여 매매계약을 체결한다

부동산의 표시

소 재 지	강원도 원주시			
토 지	지 목	대지	면 적	21601㎡
건 물	구조 · 용도	철근콘크리트.주거	면 적	59.94㎡

계약 내용

제 1 조 위 부동산의 매매에 대하여 매수인은 아래와 같이 매매대금을 지불하기로 한다

매 매 대 금	금 육천오백만	원정(₩65,000,000)
계 약 금	금 오백만	원정은 계약시에 지불하고 영수함.(영수자: 印)
중 도 금	금	원정은 년 월 일에 지불하며,
	금	원정은 년 월 일에 지불하며,
잔 금	금 육천만	원정은 2011년 09월 19일에 지불한다.

제 2 조 매도인은 매수인으로부터 매매대금의 잔금을 수령함과 동시에 매수인에게 소유권 이전등기에 필요한 모든 서류를 교부하고 이전등기에 협력하며, 위 부동산을 2011년 09월 19일 인도한다

제 3 조 매도인은 위 부동산에 설정된 저당권,지상권,전세권 등 소유권의 행사를 제한하는 사유가 있거나 제세공과 기타 부담금의 미납금 등이 있을 때에는 잔금 수수일까지 그 권리의 하자 및 부담등을 제거하여 완전한 소유권을 매수인에게 이전한다. 다만, 승계하기로 합의하는 권리 및 금액은 그러하지 아니한다.

제 4 조 위 부동산에 관하여 발생한 수익과 제세공과금 등의 부담금은 위 부동산의 인도일을 기준으로 하되 그 전일까지의 것은 매도인에게, 그 이후의 것은 매수인에게 각각 귀속한다. 다만, 지방세의 납부책임은 지방세법의 납세의무자로 한다.

제 5 조 매수인이 매도인에게 중도금(중도금이 없을 때에는 잔금)을 지불하기전까지 매도인은 계약금의 배액을 배상하고, 매수인은 계약금을 포기하고 이 계약을 해제할 수 있다.

제 6 조 본 계약상의 불이행이 있을 경우 상대방은 불이행한자에 대하여 서면으로 최고하고 계약을 해제할수 있다. 계약당사자는 계약해제에 따른 손해배상을 상대방에게 청구할수 있다.별도 약정이 없으면 계약금을 위약금으로 본다

제 7 조 중개수수료는 본 계약의 체결과 동시에 당사자 쌍방이 각각 지불하며, 중개업자의 고의나 과실없이 거래당사자 사정으로 본 계약이 해약되어도 중개수수료는 지급한다.(수수료:거래가액의 0.5 %)

제 8 조 공인중개사는 중개대상물확인설명서를 작성하여 2011년08월22일 공제증서사본과 함께 중개의뢰인에게 교부한다

특약 사항

- 계약일 현재의 시설 및 상태이며 직접 방문하여 확인하고 체결하는 계약임
- 소유자의 부재로 복덕방공인중개사에서 대리로 계약하고 잔금일까지 위임장을 첨부하기로 함
- 현 임대차관계는 승계하기로 하고 보증금은 잔금에서 공제키로 함
- 잔금일은 협의후 다소 조정할수 있고 각종 공과금은 잔금일을 기준으로 정산하기로 함
- 기타 사항은 관련법규 및 부동산 관례에 따르기로 함

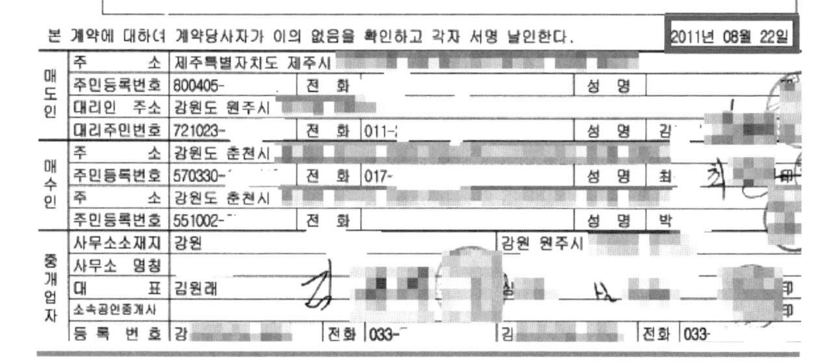

본 계약에 대하여 계약당사자가 이의 없음을 확인하고 각자 서명 날인한다. 2011년 08월 22일

매도인	주 소	제주특별자치도 제주시				
	주민등록번호	800405-	전 화		성 명	
	대리인 주소	강원도 원주시				
	대리주민번호	721023-	전 화	011-;	성 명	김
매수인	주 소	강원도 춘천시				
	주민등록번호	570330-	전 화	017-	성 명	최
	주 소	강원도 춘천시				
	주민등록번호	551002-	전 화		성 명	박
중개업자	사무소소재지	강원		강원 원주시		
	사무소 명칭					
	대 표	김원래				印
	소속공인중개사					印
	등 록 번 호	강	전화 033-	김	전화 033-	

나는 수많은 중개인들의 만류에도 거침없이 매물이 나오는 대로 매입을 시작했다. 대부분 사람들은 오랜 보합권의 시세로 쉽게 보유한 아파트를 매도했다.

결국 이 지역 역시 24평형 아파트가 5000만 원대에 거래되던 것이, 저평가된 시세의 반영으로 현재 8000만 원에 거래되고 있다.

현지 중개인이라고 해서 모두 그 지역에 대해 잘 아는 것이 절대로 아니다. 또, 중개인의 이야기는 충고해서 들어야지 너무 신뢰하면 안 된다.

급격하게 시세가 상승한 이후에도 어려운 급매물들을 5000만 원에 매입해, 불과 10일 후 6000만 원 중반대에 매도한 사례도 있었다.

강릉 - 100만 원으로 투자하기

다른 것 같지만 투자 원칙은 비슷하다. 그래서 주식 투자와 부동산 투자 모두 배당투자 개념으로 접근할 수가 있다.

밤새 경매 물건을 찾던 중 눈에 이 물건이 들어왔다. 임대수익률이 상당히 좋고, 98년에 완공된 소형아파트였다. 16평이고, 수십 채의 아파트가 경매 대기 중이었다.

20평 미만 소형 아파트의 경우, 건설사의 공급이 어려워 임대 놓기에 좋은 투자 대상이기에 대부분 좋은 물건은 월세로 놓여야 하는데,

이상하게 이 물건은 대부분 전세였다.

다만 강릉에 위치하여 사실상 현장을 방문하여 확인해야 입찰이 가능한 물건이었다.

입찰 전에 미리 수익률을 계산해 보았더니 내 예상대로 낙찰이 되어 임대가 가능하다면 100만 원을 투자해서 매년 100%의 임대수익을 올릴 수 있을 것이라 판단되었다.

나는 주저 없이 강릉으로 향했다. 대부분 지방 투자가 오랜 시간을 운전해야 하고 타 지역에 가서 하룻밤을 묵어야 하기 때문에, 가끔은 매우 외롭고 온몸이 아플 때도 있었다. 그러나 이러한 외로움은 투자를 하면서 많은 생각에 잠기게 하는 원동력이었다.

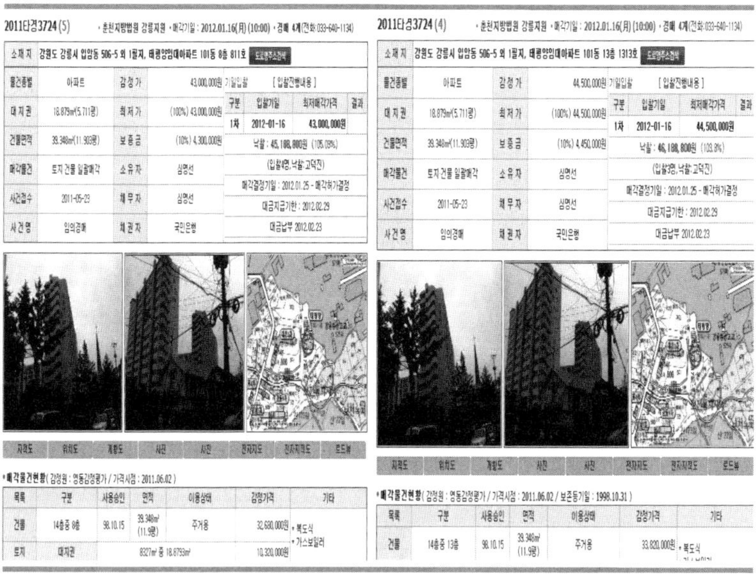

2011타경3724 (5) • 춘천지방법원 강릉지원 • 매각기일 : 2012.01.16(月) (10:00) • 경매 4계(전화:033-640-1134)

소재지	강원도 강릉시 입암동 506-5 외 1필지, 태평양임대아파트 101동 8층 811호 도로명주소검색			
물건종별	아파트	감정가	43,000,000원	기일입찰 [입찰진행내용]
대지권	18.879㎡(5.711평)	최저가	(100%) 43,000,000원	구분 / 입찰기일 / 최저매각가격 / 결과 1차 / 2012-01-16 / 43,000,000원
건물면적	39.348㎡(11.903평)	보증금	(10%) 4,300,000원	낙찰 : 45,188,800원 (105.09%)
매각물건	토지 건물 일괄매각	소유자	심명선	(입찰4명,낙찰:고덕진)
사건접수	2011-05-23	채무자	심명선	매각결정기일 : 2012.01.25 - 매각허가결정 대금지급기한 : 2012.02.29
사건명	임의경매	채권자	국민은행	대금납부 2012.02.23

지적도 위치도 개황도 사진 사진 전자지도 전자지적도 로드뷰

• 매각물건현황(감정원 : 영동감정평가 / 가격시점 : 2011.06.02)

목록	구분	사용승인	면적	이용상태	감정가격	기타
건물	14층중 8층	98.10.15	39.348㎡ (11.9평)	주거용	32,680,000원	• 복도식 • 가스보일러
토지	대지권	8327㎡ 중 18.8793㎡			10,320,000원	

2011타경3724 (4) • 춘천지방법원 강릉지원 • 매각기일 : 2012.01.16(月) (10:00) • 경매 4계(전화:033-640-1134)

소재지	강원도 강릉시 입암동 506-5 외 1필지, 태평양임대아파트 101동 13층 1313호 도로명주소검색			
물건종별	아파트	감정가	44,500,000원	기일입찰 [입찰진행내용]
대지권	18.879㎡(5.711평)	최저가	(100%) 44,500,000원	구분 / 입찰기일 / 최저매각가격 / 결과 1차 / 2012-01-16 / 44,500,000원
건물면적	39.348㎡(11.903평)	보증금	(10%) 4,450,000원	낙찰 : 46,188,800원 (103.8%)
매각물건	토지·건물 일괄매각	소유자	심명선	(입찰3명,낙찰:고덕진)
사건접수	2011-05-23	채무자	심명선	매각결정기일 : 2012.01.25 - 매각허가결정 대금지급기한 : 2012.02.29
사건명	임의경매	채권자	국민은행	대금납부 2012.02.23

지적도 위치도 개황도 사진 사진 전자지도 전자지적도 로드뷰

• 매각물건현황(감정원 : 영동감정평가 / 가격시점 : 2011.06.02 / 보존등기일 : 1998.10.31)

목록	구분	사용승인	면적	이용상태	감정가격	기타
건물	14층중 13층	98.10.15	39.348㎡ (11.9평)	주거용	33,820,000원	• 복도식

강릉에 도착해 인근 부동산에 들러 보니 이 지역은 소형 아파트가 많지 않은 상황이었고, 향후에도 소형 아파트의 공급이 없을 거라 판단되었다. 그렇다면 임대 역시 순조롭게 잘 나갈 것이고, 시세 역시 향후 조금은 오를 것이다.

강릉에서 하루 숙박을 하고, 아침에 강릉지방법원에 도착했다. 생각보다 사람은 많지 않았다.

나는 하루 전에 미리 입찰보증금, 기일입찰표를 다 준비해서 항상 경매에 입찰하곤 하는데, 법원에 가서 현장 분위기를 보고 약간 수정을 하는 일도 종종 있다.

살짝 둘러보니 아무래도 조금 더 올려 써야 할 것 같았다. 강릉까지의 왕복 교통비, 숙박비, 식대를 생각해서 입찰 금액을 20만 원 정도 높이기로 했다.

그리고 입찰 결과, 2등과 불과 18만 원 차이로 2건의 물건을 모두 낙찰 받았다.

이렇듯 항상 입찰 전에 신중하게 한 번 더 생각하는 게 중요하다. 법원에 입찰하여 낙찰을 받으러 온 것이기 때문에 진검승부를 해야지, 단순히 싸게 한번 입찰해 보려는 행동은 삼가야 한다.

낙찰을 받고 부동산에 들러 중개인에게 물건을 내놓았다.

낙찰 받은 아파트는 남향에 로열층이고 전면동이라, 임대를 놓거나 팔 때도 다른 물건들보다 경쟁력이 있을 것이다.

낙찰가 4500만 원 - 대출금 3700만 원 + 보증금1000만 원
= 실투자금액 100만 원 + 등기 비용 200만 원

3700만 원의 대출 이자는 5% 수준으로, 매달 15만 5천원이 이자로 나간다.

보증금 1000/30만 원에 월세를 놓았기 때문에 매달 안정적으로 14만 5천원의 현금 흐름을 얻을 수 있다. 그렇다면 매년 186만 원의 현금이 가능하다는 계산이 나온다. 100만 원을 투자하여 매년 186만 원의 수입이 있으니 수익률은 186%이다.

이러한 현금 흐름이 10개라면 매달 145만 원을 만들 수 있고, 100개를 만들면 매달 1450만 원이 된다.

100만 원으로 단순한 반복 작업 속에 현금 흐름과 동시에 향후 시세 차익까지 고려한다면, 지속적인 단순함과 반복은 현금 흐름과 좋은 성과를 기대할 수 있게 한다.

음성 - 공매 투자 하기

어느 날 공매로 물건을 찾던 중, 22채의 물건이 한 번에 공매로 진행되는 것을 발견했다.

법인이 소유한 사택으로 사용하던 아파트였는데, 인터넷으로 열심히 찾아보던 중 이 지역의 아파트가 2003년 이후에 입주한 아파트

로 월세가 매우 잘 나간다는 사실을 알 수 있었다. 항상 네이버 부동산이나 지도를 자주 보면서 지방에 숨겨진 아파트들을 찾는 일은 매우 재미있다.

당시 여행 중이라 지인에게 부탁하여 현장 조사와 미납 관리비 내역을 부탁했다. 그렇게 지인과 통화 후, 다음 날 일단 근처 부동산에 연락을 했다.

"사장님, 덕일 아파트 공매 나온 거 아시죠?"

"아! 또 그거 물어보는 거예요? 그거 때문에 우리 일도 못 하고 아주 짜증나 죽겠어요."

"아~ 그래요? 알겠습니다. 미안합니다."

내 예상대로 엄청난 사람들이 연락을 한 모양이다. 사전에 이렇게 근처 부동산에 연락함으로써 얼마나 많은 사람들이 관심을 가지고 있는지 쉽게 알아낼 수 있다.

그날 밤 많은 생각에 잠겼다. 자금 동원력만 있다면 22채를 모두 받고 싶었으나, 그 당시 다른 지역에 투자 자금이 묶여 있어 자금 여력이 가능한 총 6개의 물건에 대해 입찰할 생각이었는데 아무래도 경쟁이 치열할 듯했다.

이렇게 부동산에서 중개인들이 업무를 못 볼 정도로 연락이 많이 온다는 것으로 보아 최소 10명 이상의 입찰이 예상되었다. 이 지역은 매물조차 없어서 나오는 대로 매매가 이루어지고, 임대 역시 비교적

순조롭게 나간다.

나는 대부분 사람들이 로열층만 입찰할 것이라 생각하고 반대로 입찰했다. 공매 나온 꼭대기 층 물건이 4가구가 있었는데, 이 물건들은 분명히 다들 입찰을 안 할 것이라 판단되었다. 사람들이 욕심으로 무조건 로열층만 고집할 것이기에 나는 이들 물건을 입찰에 포함시켜 입찰하기로 했다.

입찰결과

물건관리번호	2012-	조회수	247
물건명	충북 음성군		
입찰자수	유효 3 명 / 무효 0 명 (인터넷)		
입찰금액	56,188,888원, 56,000,000원, 55,250,000원		
개찰결과	낙찰 (매각결정(낙찰자))	낙찰금액	56,188,888원
물건누적상태	유찰 0 회 / 취소 0 회 입찰이력보기		
감정가격 (최초 최저입찰가)	55,000,000원	낙찰가율 (감정가격 대비)	102.2%
최저입찰가	55,000,000원	낙찰가율 (최저입찰가 대비)	102.2%

	나의 입찰결과	입찰서 제출일시	물건관리번호	물건명/소재지	입찰마감일시 개찰일시	입찰보증금	입찰 상세	절차 안내
	낙찰 (매각결정(낙찰자))	2012/09/19 16:29:17	2012- 진행내역	충북 음성군	2012/09/19 17:00 2012/09/20 11:00	이체완납(낙찰)	보기	바로가기
	낙찰 (매각결정(낙찰자))	2012/09/19 16:22:52	2012- 진행내역	충북 음성군	2012/09/19 17:00 2012/09/20 11:00	이체완납(낙찰)	보기	바로가기
	유찰 (매각결정(낙찰자))	2012/09/19 16:14:00	2012- 진행내역	충북 음성군	2012/09/19 17:00 2012/09/20 11:00	환불완료	보기	
	유찰 (매각결정(낙찰자))	2012/09/19 15:58:28	2012- 진행내역	충북 음성군	2012/09/19 17:00 2012/09/20 11:00	환불완료	보기	
	유찰 (매각결정(낙찰자))	2012/09/19 15:56:39	2012- 진행내역	충북 음성군	2012/09/19 17:00 2012/09/20 11:00	환불완료	보기	
	낙찰 (매각결정(낙찰자))	2012/09/19 15:53:13	2012- 진행내역	충북 음성군	2012/09/19 17:00 2012/09/20 11:00	이체완납(낙찰)	보기	바로가기

어차피 낙찰되어도 이 지역에 매매나 전월세가 별로 없기 때문에 로열층과 똑같은 시세로 임대를 놓을 수 있을 거란 생각도 결정을 내리는 데 한몫했다.

탑층(꼭대기) 2개와 낮은 층 1개를 입찰하고, 3개의 물건은 선호도가 가장 높은 층에 입찰하기로 했다.

결과는 예상대로였다. 선호도가 높은 물건은 모두 패찰하고 선호도가 낮은 물건은 여유롭게 낙찰 받았다. 2등과 18만 원 차이로 낙찰 받은 것도 있었다.

골프장 사업을 영위하는 법인이 가지고 있던 물건이라 담당자와 명도 협상 후, 수리하고 임대를 놓기로했다. 22채가 한 번에 공매에 나오는 바람에 내가 낙찰 받은 물건들은 임대를 놓기에 조건이 다른 물건보다 상당히 열약했다. 꼭대기 층이 2건이고 저층이 1건이었으니 당연한 일이었다.

기존 일반 페인트가 아닌 탄성코트로 페인트를 업체에 의뢰하고, 부동산에는 법정 중개수수료보다 3배를 더 주기로 하며 남들보다 재빨리 임대를 놓았다.

낙찰가 5600만 원 - 대출 4400만 원 + 보증금1000 / 35만 원
= 실투자금액 200만 원 + 제반 비용 400만 원

3채를 낙찰 받아 총 2000만 원 정도를 투자했고, 월세가 105만 원, 이자가 60만 원이 지출됐다. 2000만 원을 투자해서 매달 45만 원, 연간 540만 원의 현금 흐름이 생긴 것이다. 연 27%의 이자율이라면 제법 괜찮았다.

만약 3채가 아닌 12채 정도를 낙찰 받았다면 8000만 원을 투자해서 매달 180만 원, 연간 2160만 원의 현금 흐름을 만들 수 있었을 것이다.

이렇게 투자 금액이 적게 소요되고, 안정적인 현금 흐름을 만들어 내는 부동산은 많으면 많을수록 좋다.

정읍 - 매매로 22채 아파트를 매입하다

전북 지역을 살펴보던 중 정읍의 한 아파트를 자세히 살펴보게 되었다.

도시 근로자 월 평균 소득 PIR를 대입하여 산출하려 하였으나, 분양 전환이 얼마 전 이루어져 자료가 없었기 때문에 배당수익률 개념으로 접근했다.

이 시기는 수도권 경매 및 급매를 투자하던 시기로써, 사실상 지방 부동산 투자는 그리 큰 매력을 가진 투자처로 생각하지 않았다.

일단 경매로 나온 물건을 하나 잡아보기 위해 정읍지방법원으로 내려갔으나, 일요일이라 부동산이 문을 닫아 이 지역에 대해 어디에서

도 물어볼 수가 없었다.

그래서 생각한 곳이 여자들이 있는 노래주점이었다. 그 지역에 건축업자, 부동산 중개업자등 수많은 남자들이 손님으로 오기 때문에 쉽게 그 지역의 정보를 알 수 있고, 그로 인해 앞으로의 동향을 파악할 수 있기 때문이다.

업소에 들어가서 일단 맥주 세트와 양주 세트를 시키고 두 여자분들을 불러 노래 한 곡을 끝냈다. 이후 술을 천천히 마시며 하나하나 종업들과 이야기를 나누었다. 물론 이렇게 큰 비용을 지불할 가치가 있다고 판단되어 아깝지 않았다.

"와~ 이 지역에 원룸을 많이 짓고 있는데 남아돌지 않아요?"

"맞아요. 몇 개는 비어 있는 거 같은데 우리도 원룸에 2 ~ 3명씩 살아요."

"근데 계속 원룸을 공사하는 거 같던데?"

"아~ 그거 여기 어떤 건축업자가 와서 하는 이야기를 들었는데, LH에서 매입한다고 공실이어도 상관없대요. 자기는 그냥 나중에 LH에 매각하면 된다고……."

"원룸 월세는 얼마예요?"

"300/30, 300/35였나? 그럴 거예요."

"그럼 젊은 사람들은 어디 가서 놀아요?"

"대부분 수성동에서 놀아요. 여기가 신규 택지 지어진 곳이고, 공단이랑 가까워서 젊은 사람들은 대부분 여기서 놀려고 해요. 회식도 여기서 많이 해서 여기가 노래주점도 가장 많고, 음식점들도 많아요."

대충 이런저런 이야기를 한 시간 정도 나누면서 이지역의 돌아가는 상황을 파악했다.

다음 날 정읍지방법원에 일단 경매로 나온 물건을 하나 낙찰 받고 부동산으로 향했다.

"사장님, 여기 아파트 월세는 얼마나 하나요?"

중개인은 별 관심 없는 듯 이야기했다.

"보증금 1000/35인데, 이쪽 지역 사람들은 보증금 개념이 별로 없어서 2000/35에도 놓고 1500/35에 놓고 그럽니다."

나는 깜짝 놀랐다. 대부분 1000만 원에 10만 원꼴로 환산하는데, 이 지역은 보증금 개념이 크게 없다고 이야기하는 것을 듣고 계산을 해보았다.

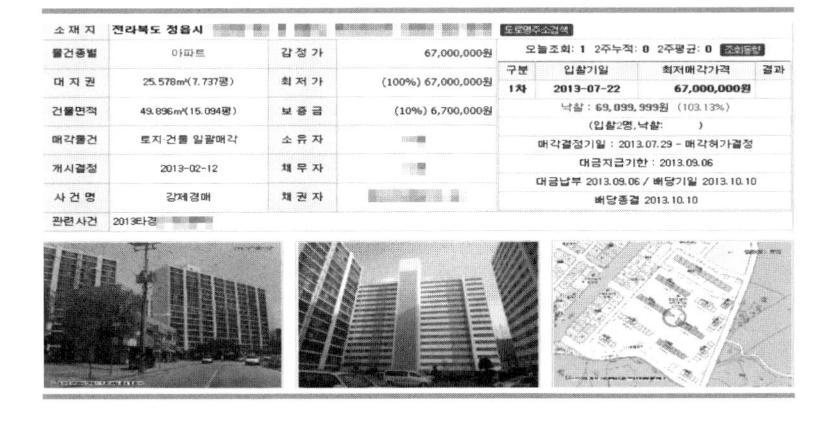

소재지	전라북도 정읍시		
물건종별	아파트	감정가	67,000,000원
대지권	25.578㎡(7.737평)	최저가	(100%) 67,000,000원
건물면적	49.896㎡(15.094평)	보증금	(10%) 6,700,000원
매각물건	토지·건물 일괄매각	소유자	
개시결정	2013-02-12	채무자	
사건명	강제경매	채권자	
관련사건	2013타경		

오늘조회: 1 2주누적: 0 2주평균: 0

구분	입찰기일	최저매각가격	결과
1차	2013-07-22	67,000,000원	
낙찰 : 69,099,999원 (103.13%)			
(입찰2명,낙찰:)			
매각결정기일 : 2013.07.29 - 매각허가결정			
대금지급기한 : 2013.09.06			
대금납부 2013.09.06 / 배당기일 2013.10.10			
배당종결 2013.10.10			

2001년에 완공된 아파트의 21평의 매매가는 7000만 원 수준이고, 대출은 통상적으로 KB 시세에 70% 정도는 새마을금고에서 가능하기 때문에 실질적으로 5000만 원정도 대출이 가능했다.

보증금 2000만 원에 월세를 놓을 수 있다면

> 매매가 7000만 원 - 대출금 5000만 원 + 보증금 2000만 원
> = 0 + 등기 비용 및 수리비

실투자금은 몇백만 원에 불과했기 때문이다.

그런데 이 지역에는 문제가 있었다. 신규 분양 입주가 2014년 8 ~ 10월에 1000세대 정도가 예정되어 있었기 때문이다. 이러한 신규 입주 물량으로 인해 그 시기에 보증금 및 월세가 일시적으로 하락할 수도 있다.

하지만 나는 그러한 우려에도 불구하고 이 지역에 나와 있는 물건을 모두 매입했다. 어차피 그러한 입주 물량은 시간이 지나면 자연스레 정상을 찾을 것이고, 21평은 소형이라 생각보다 타격이 크지 않으리라 판단한 것이다.

> 매매가는 평균 7000만 원 * 22채 = 15억 원
>
> 대출 금액은 평균 5000만 원 * 22채 = 11억 원
>
> 매매가 15억 원 + 등기 비용 및 수리비 1억 원 -
> 대출액 11억 원 = 5억 원

한꺼번에 여러 채를 작업하면 인테리어 비용을 절감할 수 있다. 수리는 싱크대, 보일러, 도배, 장판, 등기구, 콘센트, 스위치, 페인트까지 교체했다.

5억 원 - 보증금 4억 원 = 총투자금액 1억 원

대출금액 11억의 월 이자로 430만 원 정도가 나가고, 임대료로 월 740만 원 정도가 들어왔다. 22채 중 4가구는 1년 치 월세를 한 번에 받는 조건으로 두 달 치를 빼주었다.

매달 이자 비용을 지불하고 1억 원을 투자해서 310만 원의 현금 흐름이 생겼다. 1000만 원을 투자한다면 매달 31만 원의 현금 흐름과 연간 372만 원의 임대 수익이 생기고, 이는 37.2%의 수익률로 3년 후면 1000만 원의 임대 수익을 올릴 수 있다.

세입자의 40%는 공단에 일하는 직원의 숙소로 임대를 주고, 나머지는 고창이나 인근 시골 지역에서 도심에 살고 싶어 이사 온 분들이나 신혼부부, 발령 받아 온 선생님들에게 주었다. 임대는 쉽게 이루어졌다.

이렇게 나는 총 1억 원을 투자해서 3년이면 원금을 모두 회수할 수 있고, 3년마다 원금이 두 배씩 늘어나는 재밌는 구조를 가져갈 수 있게 되었다.

물론 2000/35라는 금액이 1000세대 입주로 내가 매입한 금액보다 현재 시세가 7% 가량 하락한 상태이고, 월세는 1000/35만 원으로 하락한 상태이지만 시간이 지나면 다시 회복될 것이기에 매달 돈을 찍어내는 현금 흐름이 생긴 셈이다.

2013년 7000만 원을 주고 매입한 아파트의 값이 2023년에도 7000만 원이라도 상관없다. 3년마다 1억 원씩(실제로는 1억 8백이지만 재산세 및 수리비를 감안 1억으로 계산했다.) 임대 수입이 들어오기 때문에 아파트값의 상승은 더 이상 필요가 없었다.

그럼 보증금액이 하락해서 실투자금액이 2억으로 증가 된다고 해도, 매년 3600만 원이라는 금액을 복리로 하면 4년마다 원금을 두 배씩 늘릴 수 있다.

이렇게 300만 원의 현금 흐름을 몇 달만 아낀다면 또다시 돈을 찍어내는 현금 흐름을 더 늘릴 수도 있고, 보유 갯수가 늘어나면 보증금액을 늘릴 수도 있으며, 돈이 필요하다면 전세로 놓을 수도 있다. 방법이 여러 가지라는 것이 가장 큰 장점이다.

아파트 투자를 통해 현금 흐름을 만들어내는 것은 초보자가 가장 쉽게 할 수 있는 일이다. 세월이 지나도 상가처럼 상권이 변동하지 않고, 관리가 편하며 어려운 일이 없기 때문이다.

이 지역을 투자하면서 고민된 것은 인구 감소였다. 하지만 그러한 걱정을 없애준 것이 근거리에 위치한 공단들이다.

NEWS

http://reaestatenews.co.kr

정읍 하림 닭 가공공장 본격 가동

2012년 12월 10일(월) 00:00

정읍에 동물 복지 개념을 도입한 대규모 닭고기 가공공장이 본격적인 운영에 들어갔다. 국내 닭고기 산업을 이끌어가고 있는 ㈜하림은 지난 6일 정읍 시 북면 태곡리에 위치한 정읍 공장에서 가공공장 준공식을 가졌다. ㈜하림은 1100억 원을 투자해 연면적 3만 4870㎡(부지 면적 3만4870㎡)에 3개 도계 라인을 갖추고, 하루 20여 만 마리를 도계 가공할 수 있는 가공공장을 완공하고 고품질 닭고기를 생산·공급하기 시작했다.

정읍공장은 국내 최초로 유럽식 동물 복지 개념과 풀에어 칠링 공정 등 고품질 닭고기 생산 시스템을 도입, 눈길을 끌고 있다.

농장에서 닭을 포획하는 단계에서부터 자동 포획기를 도입하고, 전용 상자를 이용한 운송과 도계 과정에서 가스 실신 시스템 적용 등 국내 최초로 동물 복지를 고려한 도계 공정을 채택했다.

동물 복지를 고려한 이 같은 유럽형 도계 공정은 동물들의 스트레스를 최소화할 뿐만 아니라 제품의 품질을 높이는데도 필수적이어서, 닭고기 업계는 물론 국내 축산 육류업계 전반에 새로운 변화를 불러일으킬 것으로 보인다.

광주일보/박기섭기자 parkks@

한국의 닭고기 소비량은 선진국의 비해 매우 낮은 편이며, 또 하림은 영세기업에서 중소기업으로, 그리고 다시 대기업으로 육계 분야에서 지속적으로 확장했다. 사실상 우리나라 닭고기 생산을 병아리부터 수직계열화시킴으로 앞으로 더 커질 수밖에 없는 회사다.

전세계 닭고기 소비량 kg

구 분		2003	2004	2005	2006	2007	2008(P)	2009(F)
아시아지역	홍콩	31.1	37.6	38.8	38.8	36.1	36.8	37.4
	대만	27.9	28.6	27.7	29.0	27.3	28.8	29.2
	말레이지아	37.6	37.2	38.5	38.5	38.9	38.7	38.0
	일본	**14.5**	**13.5**	**14.8**	**15.2**	**15.3**	**15.2**	**15.2**
	태국	12.1	10.2	12.3	12.5	12.6	12.3	13.0
	한국	**10.8**	**9.7**	**10.6**	**12.4**	**12.9**	**12.5**	**12.7**
	중국	7.7	7.6	7.7	7.9	8.7	9.6	10.4
북미지역	**미국**	**43.2**	**44.6**	**45.4**	**46.1**	**45.1**	**45.1**	**44.6**
	캐나다	29.5	29.9	29.8	30.1	29.9	30.5	31.4
	멕시코	25.3	25.8	27.0	28.1	28.2	29.0	29.6
남미지역	브라질	31.2	32.1	35.0	35.8	38.1	38.5	39.0
	아르헨티나	18.8	21.8	24.2	28.3	29.7	32.5	34.7
	베네주엘라	28.2	30.3	33.3	32.4	34.7	39.4	39.5
유럽지역	유럽연합	14.6	14.3	15.2	14.4	15.5	15.9	16.1
구소련	러시아	11.7	11.6	11.6	14.9	14.9	16.3	16.9
	우크라이나	3.3	4.5	10.1	9.1	9.1	9.7	11.8
중동지역	쿠웨이트	49.5	54.5	42.8	46.7	50.7	59.7	61.3
	아랍에미리트	39.4	45.5	44.5	48.8	54.9	66.2	63.8
	사우디아라비아	36.0	34.5	38.3	35.6	36.9	37.1	37.0
아프리카지역	남아프리카공화국	19.9	20.5	22.5	25.1	25.7	26.0	26.5

현재 여러 도시에 거주하고 있는 직원들은 출퇴근 버스를 이용하는데, 어느 순간 유입이 조금씩 공장 가까운 도심으로 늘어날 수밖에 없을 것이다.

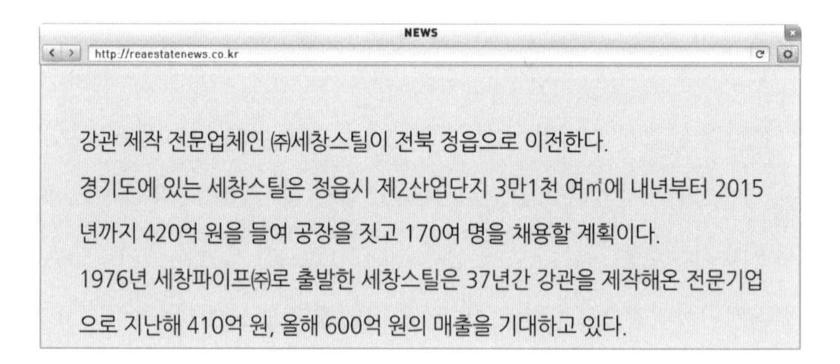
NEWS

http://reaestatenews.co.kr

강관 제작 전문업체인 ㈜세창스틸이 전북 정읍으로 이전한다.

경기도에 있는 세창스틸은 정읍시 제2산업단지 3만1천 여㎡에 내년부터 2015년까지 420억 원을 들여 공장을 짓고 170여 명을 채용할 계획이다.

1976년 세창파이프㈜로 출발한 세창스틸은 37년간 강관을 제작해온 전문기업으로 지난해 410억 원, 올해 600억 원의 매출을 기대하고 있다.

특히 이 회사가 생산하는 무계목강관(無繼目强官, seamless steel pipe)의 제조 설비를 갖춘 곳은 포스코, 일진제강 등 극소수에 불과해 세창스틸의 정읍공장이 본격 가동되는 2015년 이후에는 매출이 3천억 원을 넘어설 것으로 보인다.

전주=연합뉴스 홍인철 기자

NEWS

http://reaestatenews.co.kr

정읍시-한국방사선진흥協, 방사선 의료 정도관리센터 건립 MOU

정읍시와 한국방사선진흥협회(이사장 이명철, 이하 협회)가 5일 '방사선 의료 정도관리센터' 설립을 위한 업무협약(MOU)을 체결했다. 이번 협약에 따라 시는 1만㎡의 부지 매입에 따른 시비를 확보해 지원하고, 센터 설립에 필요한 국비 확보와 행정 절차 이행에 적극 협력한다.

또 협회는 센터 설립 계획에 따라 연차별 사업비(국비) 확보와 함께 시로부터 부지 매입을 위한 시비가 지원되면 부지 매입 및 실시 설계 용역 등을 거쳐 본격적인 설립공사를 담당하게 된다.

센터는 올해부터 2016년까지 3년 연차사업으로 추진된다. 국비 40억 원과 시비 18억 원 모두 58억 원이 투입돼 부지 1만㎡에 건축 연면적 6600㎡ 규모로 건립될 예정이다.

센터가 설립되면 방사선 의료기기 안전성 향상과 함께 의료방사선 기술 개발과 방사선 진단 및 치료 효율성 개선, '의료한류'(Medical Korea) 가속화 등에 기여할 전망이다. 또 수조원 대에 이르는 세계 방사선 의료시장에 진출할 수 있는 기반이 갖춰짐에 따라 지역경제 활성화와 고급 일자리 창출에도 크게 기여할 것으로 기대된다.

시와 협회는 센터 설립을 마치면 2단계로 2015년 '방사선 성능평가 및 인증센

> 터' 사업을 정부로부터 승인받아 센터 설립 부지 내에 이를 추가로 설립할 계획이다.
>
> 정읍=뉴스1) 박제철 기자

이들 기업들의 입주가 계속 이루어지는 이유는 무엇일까?

그것은 바로 산업단지의 평당 가격이 20 ~ 30만 원 수준이면서 가스, 전기, 수도 시설이 모두 되어 있기 때문에, 값싼 땅을 사서 공장을 지으면 어느 정도 물류비를 감안하더라도 충분히 매력이 있는 지역이기 때문이다.

이 지역 부동산을 매입한다는 소식을 듣고 부동산 중개업자 분께서 S스틸 상무님을 소개시켜 주셨다. 상무님이 저녁을 계속 나에게 대접하고 싶다고 하셔서 어쩔 수 없이 같이 저녁을 먹으면서 말씀을 나누었다.

그분은 이렇게 말씀하셨다.

"사장님, 우리는 시화에서 3000평 정도의 부지에서 사업을 했는데 부채가 많아 남는 게 하나도 없었습니다. 그러다 이번에 정읍으로 이전하면서 부채를 모두 상환하고 1만 평의 공장 용지를 40억 수준에 구입했습니다. 다들 물류비가 많이 들기 때문에 철강 회사는 시화공단에 위치해야 한다고 하는데, 내려와 보니 상당히 잘한 결정이라 생각합니다. 우리가 여기서 잘되면 더 많은 철강 기업들이 내려올 거예요. 이렇게 싼 땅이 어디 있어요? 전기, 수도, 가스 다 공급되는데?"

그렇다. 원래 기계장치 산업은 고정비가 매우 커서 토지 금액이 적게 들어가야 매력적인데, 원재료를 수급 받아 단순히 가공하는 업체라면 바닷가와 인접한 지역에 특별히 있을 이유는 없단 생각이 들었다.

지도상으로 보았을 때 정읍 제2일반산업단지가 1.5km 근방에 위치하여 차량으로 출퇴근이 3분 이내에 가능하고, 정읍 제3일반산업단지 역시 4km로 출퇴근이 5분 정도면 충분히 가능하기 때문에 내 임차인 중 40%가 공단에 근무하는 사람들이다.

21평을 다시 분양하려면 현재 시세로 6500 ~ 7000만 원이면 가능할까?

향후 물가는 지속적으로 올라 현재 시세로 분양하는 것은 힘들 것

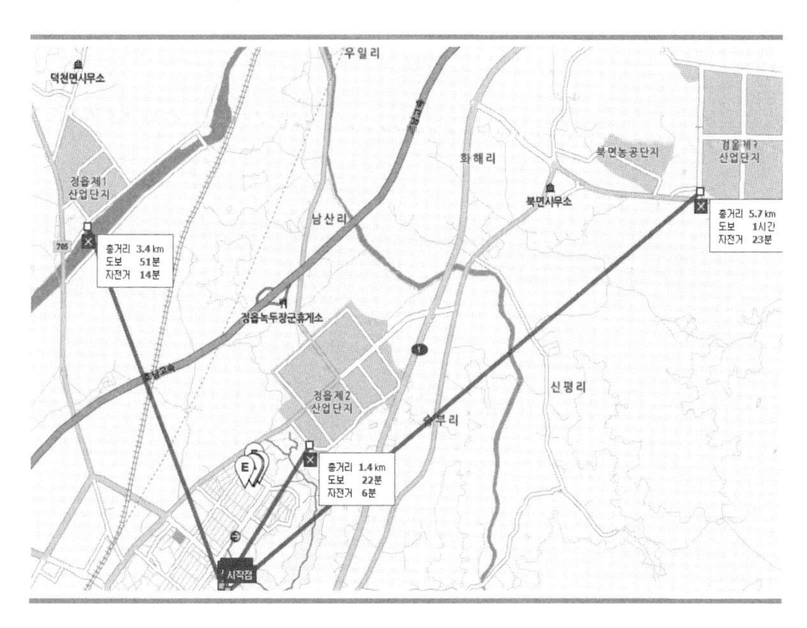

이다. 또한 대폭적인 인구 유입이 없기 때문에, 신규 분양 역시 건설사가 스스로 무덤을 파는 꼴이다. 때를 기다리면 시세는 자연스레 8000만원으로 올라갈 것이고, 매달 받는 월세는 보너스 역할을 하는 셈이다.

물론 한 지역에 이렇게 많은 숫자를 투자하는 건 절대 좋은 일이 아니다. 투자자는 항상 분산 투자를 지향해야 한다. 분산 투자는 우리에게 일어날 수 있는 모든 리스크를 줄여주기 때문이다.

수도권 - 1천만 원으로 부동산 투자하기

부동산 투자를 잘하기 위해서는 대출에 대해 어느 정도 지식을 가져야 한다. 그에 대한 지식을 쌓기 위해서는 수많은 대출 상담사들에게 조언을 구하는 방법이 있는데, 그들에게 조언을 구하면 투자를 하는 데 필요한 대출에 관한 지식을 어느 정도 습득할 수 있다.

수도권에 있는 아파트에 투자할 때 대부분 소득, 상환 능력, 신용도, 보증보험 가입 여부 등을 판단하기 때문에, 1명이 아파트에 투자할 수 있는 조건이 한정되어 있다.

하지만 대출 금액이 1억 미만 아파트에 대해서는 DTI(금융 부채 상환 능력을 소득으로 따져서 대출 한도를 정하는 계산 비율 을 말한다.

대출 상환액이 소득의 일정 비율을 넘지 않도록 제한하기 위해 실시한다) 적용을 하지 않는다.

수도권 아파트 투자의 경우 대출 금액 1억 미만으로 일반 매매, 경매로 공략할 수 있는 아파트 시세는 1억 2500만 원이 최대치이다.

1억2500만 원까지 낙찰을 받게 되면 대출 금액은 1억 원이 되므로 DTI 적용을 받지 않고 매매, 경매를 통해 소형 아파트에 투자하여 안정적인 월 현금 흐름을 창출할 수 있다.

정부 규제를 피해 DTI 적용을 받지 않는 대출 1억 원 미만에 낙찰이 가능한 물건들을 검색하여 그 조건에 부합하는 아파트들에 투자하기로 했다.

조건들은 아래와 같다.

1. 매매가는 1억2500만 원 이하
2. 수도권에 위치
3. 교통이 편리한 역세권
4. 안정적으로 임대가 잘 나가는 지역

그렇게 물건을 검색하던 중 어느 날, 수도권 외곽 동두천시의 아파트가 상당수 경매에 나온 것을 발견했다. 2000년 이후 입주한 아파트로, 지행역에서 도보 5분 거리에 있는 24평 아파트였다.

수도권 외곽에 위치한 계단식 구조의 아파트가 1억 원이면 상당히 저렴한 것이다. 보증금 1000만 원/월세 45만 원의 시세가 형성되어있는데, 보증금을 제외하고 9000만 원을 투자하여 연간 540만 원의 임대 수입을 얻을 수 있다.

현장에 도착해 지행역에서 해당 물건지까지 타이머를 켜고 시간을 재보기로 했다. 정확히 도보로 5분 30초정도가 소요됐으니 이정도면 충분히 매력 있었다. 주변에 일단 초등학교가 있어야 하는데, 이 역시 도보로 5분 정도면 충분했다.

투자를 할 때는 항상 내가 거주한다고 가정했을 때 얼마나 주변 환경이 좋은지를 판단하고 투자해야 한다. 그래야 임차인도 오랫동안 거주할 수 있기 때문이다.

10년 후에는 GTX의 등장으로 수도권 교통은 더욱 빨라질 수밖에 없기 때문에, 이러한 외곽지의 24평 소형 아파트는 충분히 매력이 있을 거라 생각됐다.

실제로 앞으로 2021년이 되면 의정부역에서 삼성역까지 20분 만에 GTX로 출퇴근이 가능하다고 한다. 지행역에서 의정부역까지는 20분 남짓한 시간이 소요되기 때문에, GTX의 등장과 더불어 수도권 외곽지의 값싼 임대료는 이주 수요를 자극할 거란 생각이 들었다.

거기다 동두천 지역에는 이미 LNG복합화력발전소 건립이 확정되었다.

NEWS

http://reaestatenews.co.kr

동두천 LNG복합화력발전소 건립 확정

2011-01-09

【동두천=뉴시스】이종구 기자 = 경기 동두천시는 지난해 12월 발표된 지식경제부의 '5차 전력수급기본계획'에 동두천LNG발전소 건설 계획이 포함돼 발전소 건립이 확정됐다고 9일 밝혔다.

이에 따라 발전소 건립을 추진해온 한국서부발전(주)과 삼성물산(주)은 광암동 캠프 호비 외곽 20만㎡땅에 1조 3440억 원을 들여 1500MW(750MW×2기)의 가스터빈 복합발전 방식의 동두천LNG발전소를 건설한다.

시는 발전소 건립이 확정됨에 따라 2009년 시작한 환경영향평가를 오는 5월 마무리한 뒤 설계와 부지 매입을 시작해 2012년 착공, 2014년 6월 완공될 것으로 보고 있다.

또 연인원 90만 명과 150여 명의 상주 인력이 생기는 등 고용 효과를 기대하고 있다. 시 관계자는 "순조로운 사업 진행을 위해 행정력을 쏟겠다."며 "발전소가 건립되면 안정적 전력 공급으로 택지와 산업단지 개발 등 투자가 활성화될 것으로 기대한다."고 말했다

이 사업은 2008년 5월 한국서부발전㈜과 동두천시가 에너지개발에 관한 양해각서(MOU)를 체결하면서 본격 추진돼 왔다.

한편 발전소 유치를 추진해 온 광암동 주민들은 낙후된 지역 경제에 촉매제가 될 것이라며 환영하고 있다.

LNG화력 발전소를 건립하기 위해서는 수조 원의 비용이 필요한 것은 물론이고, 고용 인원이 늘어나기 때문에 지역 부동산 시세에 긍정

적인 영향을 준다.

나는 이런 기사들을 해당 지역에 투자하기 전에 미리 체크하여 투자를 판단하고 결정한다.

이제 남은 건 인근 부동산에 들러 시세 조사 및 월세 수요를 파악하는 일이다. 부동산을 방문하니 상당히 많은 사람들이 이미 다녀간 듯했다. 아파트 30채가 한꺼번에 경매로 나왔으니 입찰자 수만 해도 상당할 것이다.

"사장님 안녕하세요? 이번에 아파트 30채가 나왔는데 소유자가 동일하네요?"

"아~ 그 사람 임대 사업자인데 동업자랑 어떻게 안 좋게 됐나 봐요! 그 사람이랑 동업자가 이 동네 아파트 그 물건 말고도 100채 이상 보유 중인데 앞으로 또 경매로 나올 예정이에요."

"월세는 잘 나가나요?"

"네, 월세 수요는 꾸준히 있어요. 아무래도 지하철역에서 가깝고 월세 시세가 1000/45만 원인데, 24평에 방 3개가 그 정도면 저렴하죠. 지하철역 반대편 아파트 단지에 비해 월세가 5만 원 정도 저렴해서 잘 나가는 편이에요."

"잘 알겠습니다. 낙찰 받으면 다시 방문하도록 할게요."

부동산을 나오면서 어느 정도 결론이 도출되었다.

1. 아파트는 주공의 브랜드로 서민들이 선호한다.
2. 낙찰가 기준으로 1억 원이면 충분히 가능하다.
3. 대출 금액이 1억 미만이라 DTI 적용 규제를 피하기 때문에 대출 문제가 없다.
4. 임대료가 저렴하고 지하철역, 학교가 도보 5분 거리에 있어 임대 수요가 충분하다.
5. 24평이기에 향후 매매를 감안할 때 실수요자들에게 매매할 수 있다.

입찰 당일 법원에 도착해서 둘러보니, 생각 외로 사람들이 별로 없었다. 경쟁이 심하지 않을 거 같아서 최저 입찰가에서 조금씩 올려 입찰하였다.

의정부지방법원의 경우 입찰을 하고 나면 입찰자 수를 미리 불러주는데, 30채의 아파트 물건 중 대부분은 1명이 입찰했고, 내가 입찰한 물건만 2명이었다.

약간 초조한 마음에 법원 입구에서 담배를 꺼냈는데 바로 옆에서 어떤 남자가 엄청난 입찰 서류를 챙기고 있었다.

"사장님? 오늘 주공 아파트 입찰하셨나 봐요?"

"아~ 네. 주변 사람들 부탁 받고 왔어요. 10채 입찰했는데 몇 개나 입찰 받을지 모르겠네요."

"저도 주공 아파트 입찰했는데 사장님이 입찰하신 거랑 겹칠 거 같네요.”

“어? 몇 번 물건 입찰하셨죠?”

나는 입찰한 물건의 번호와 낙찰 금액을 알려줬다. 남자는 서류뭉치를 뒤적거리더니 말했다.

“에고, 이거 사장님이 낙찰 받으셨네요. 10만 원 차이로.”

남자는 또 서류뭉치를 뒤적거리며 말했다.

“이 물건도 또 10만 원 차이로 사장님이 낙찰받으셨어요. 제가 B경매 카페에서 나왔거든요. 이게 저랑 제일 친한 사람 거 대리 입찰한 건데 안타깝게 됐네요.”

나는 속으로 회심의 미소를 지었다.

낙찰가 1억 원 - 대출 8000만 원 + 보증금 1000만 원
= 실투자금 1000만 원 + 제반 비용 300만 원

소액 자본으로 24평 계단식 아파트를 2채나 낙찰 받아 매달 월세를 받을 수 있게 되었기 때문이다.

이제 아파트 2채 낙찰은 받았고, 앞으로 매매와 월세 둘 중 어떤 걸로 결정해야 할지 고민하기로 했다.

내가 낙찰 받은 2011년은 수도권 부동산 시장이 하락기에 있었기 때문에 많은 사람들의 관심이 부동산에서 멀어져 가던 시점이었고,

소재지	경기도 동두천시		도로명주소검색
물건종별	아파트	감정가	125,000,000원
대지권	34.148㎡(10.33평)	최저가	(80%) 100,000,000원
건물면적	59.99㎡(18.147평)	보증금	(10%) 10,000,000원
매각물건	토지·건물 일괄매각	소유자	이
사건접수	2011-02-24	채무자	이
사건명	임의경매	채권자	

기일입찰 [입찰진행내용]

구분	입찰기일	최저매각가격	결과
1차	2011-06-21	125,000,000원	유찰
2차	**2011-07-26**	**100,000,000원**	
낙찰 : **101,180,000**원 (80.94%)			
(입찰2명,낙찰:.			
매각결정기일 : 2011.08.02 - 매각허가결정			
대금지급기한 : 2011.09.08			
대금납부 2011.09.07 / 배당종결 2011.11.22			

지적도 | 위치도 | 구조도 | 개황도 | 사진 | 전자지도 | 전자지적도 | 로드뷰

• **매각물건현황**(감정원 : 더원감정평가 / 가격시점 : 2011.03.04 / 보존등기일 : 1999.10.30)

목록	구분	사용승인	면적	이용상태	감정가격	기타
건물	18층중		59.99㎡ (18.15평)	방3,욕실등	98,750,000원	

소재지	경기도 동두천시		도로명주소검색
물건종별	아파트	감정가	123,000,000원
대지권	34.148㎡(10.33평)	최저가	(80%) 98,400,000원
건물면적	59.99㎡(18.147평)	보증금	(10%) 9,840,000원
매각물건	토지·건물 일괄매각	소유자	이
사건접수	2011-02-24	채무자	이
사건명	임의경매	채권자	

기일입찰 [입찰진행내용]

구분	입찰기일	최저매각가격	결과
1차	2011-06-21	123,000,000원	유찰
2차	**2011-07-26**	**98,400,000원**	
낙찰 : **100,880,000**원 (82.02%)			
(입찰2명,낙찰:			
매각결정기일 : 2011.08.02 - 매각허가결정			
대금지급기한 : 2011.09.08			
대금납부 2011.09.07 / 배당종결 2011.11.22			

지적도 | 위치도 | 구조도 | 개황도 | 사진 | 전자지도 | 전자지적도 | 로드뷰

• **매각물건현황**(감정원 : 더원감정평가 / 가격시점 : 2011.03.04 / 보존등기일 : 1999.10.30)

목록	구분	사용승인	면적	이용상태	감정가격	기타
건물	18층중		59.99㎡ (18.15평)	방3,욕실등	97,170,000원	
토지	대지권	16361㎡ 중 34.1482㎡			25,830,000원	

앞으로 100채의 아파트가 경매로 나온다는 부동산 사장의 이야기가

내 귓가에 계속 맴돌았다. 분명 향후 100채의 아파트가 경매로 나온다면 매매 시세에 영향이 있을 것이다.

나는 단기 매매를 좋아하지 않지만, 앞으로 또 기회가 올 것이기에 이번엔 단기 매매를 하기로 마음먹고 입찰 전에 방문했던 부동산에 다시 들렀다.

"사장님, 안녕하세요? 오늘 입찰해서 아파트 2채를 낙찰 받았는데 1채는 팔고 싶어서요."

"아, 축하드려요. 그런데 30채가 한꺼번에 나와서 잘 팔릴지 모르겠네요. 몇 동 몇 호를 낙찰 받으셨어요?"

"204동 5층이랑 207동 4층 낙찰 받았어요."

"물건을 잘 골라서 낙찰 받으셨네요. 이번에 경매 나온 물건들이 썩 좋은 물건들이 없었는데, 204동은 지하철역이랑 가까워서 사람들이 꽤 선호하는 편이거든요. 그래서 매매하시려면 204동을 하시는 게 좋을 듯싶네요."

"네, 사장님. 그럼 아직 명도 전인데 제가 임차인을 설득할 테니 매매 진행해 주세요."

"그렇게 쉽게 명도가 될까요? 그래요. 그럼 매매 한번 진행해 볼게요."

부동산 문을 닫고 나온 후, 바로 낙찰 받은 임차인을 만나러 갔다. 띵동띵동, 몇 번의 벨을 눌러도 인기척이 없었는데 70대 노인이 갑자기 문을 열었다. 잠에서 깬 듯 두리번거리던 노인은 나에게 무슨 일로 왔는지 물었다.

“안녕하세요, 사장님. 오늘 여기 아파트 경매 낙찰 받았는데요. 말씀드릴 게 있어서 왔습니다.”

노인은 나에게 들어오라고 했다. 거실에 앉아 이제 협상을 할 차례이다.

“사장님, 오늘 제가 이 집을 낙찰 받아, 이제 한 달 후에 잔금을 치르면 소유권 이전이 되어서 집을 비워주셔야 하는데요. 제가 이 집의 소유권을 이전하기 전에 매매할 생각이라서요. 도와주시면 제가 충분히 사례하겠습니다.”

내 말에 노인은 갑자기 주머니에서 담배를 꺼내더니 피우기 시작했다.

“휴~ 자네가 무슨 말 하는지는 알겠어. 근데 내가 가진 돈이라곤 보증금이 전부라 이걸 맞추어서 이사해야 하는데 아직 집을 찾지도 못했고, 월세로 가려고 해도 다른 데는 비싸서 못 가고 그렇소. 그리고 내 친척한테 알아보니까 배당 기일까지는 살아도 된다고 하던데, 아닌가?”

“사장님, 그럼 제가 사장님 형편에 맞출 수 있는 집을 알아봐드리고, 법원에서 받으실 보증금도 미리 제가 드리도록 하겠습니다. 법원에서 받으실 보증금은 훗날 배당 기일에 저랑 만나서 그때 주시면 됩니다.”

난 최대한 노인을 배려했지만, 노인은 담배만 연거푸 피어대면서 내 이야기를 귀담아 듣지 않았다.

“그럼 일단 저는 가보도록 하겠습니다. 빨리 매매하게 되면 충분히 사례해 드릴 테니 젊은 사람 한번 도와준다고 생각해 주세요."

노인과 대화가 끝난 후, 담배만 연거푸 피워대던 노인의 모습이 생각나 인근 마트에 들러 담배 한 보루를 사가지고 다시 방문했다.

띵동 띵동.

"사장님, 아까 빈손으로 온 게 마음에 걸려서 담배 한 보루 사왔습니다."

"아이고, 고맙네. 자네가 말한 대로 빨리 집도 알아보고, 매매할 수 있도록 도와주도록 할까 하는데……. 이사비는 충분히 주는 건가?"

"그럼요, 당연히 충분히 드려야죠."

그냥 돌아가지 않고 노인이 애용하는 브랜드의 담배를 눈여겨보았다가 한 보루를 사다 드린 것이 명도를 해결하는 데 큰 도움이 되었다.

30채가 한 번에 경매로 나왔기 때문에, 단기 매매로 접근한 사람들의 매매 경쟁이 시작될 것이다. 대금 납부 기일이 9월 8일이고, 배당 기일은 평균적으로 잔금 납부 후 한 달 후에 날짜가 지정되니, 명도가 빠르다면 10월쯤 매매 매물들이 나올 것이다.

나는 한 달이 흐른 뒤 잔금을 납부하고, 부동산에 얘기해 계속 집을 보여주기 시작했다.

그러던 어느 날, 임차인에게서 연락이 왔다.

"젊은 양반, 잘 지내시오? 집은 잘 보여주고 있소. 다름이 아니라 내가 이번에 아파트 옆에 빌라를 하나 얻었는데, 저번에 빨리 비워달라고 해서 말이오. 보증금을 빨리 내주었음 하는데?"

"아, 사장님. 감사합니다. 부동산에서 사장님이 집 잘 보여주신다고 하시던데……. (사실 이 노인 분은 집을 잘 안 보여 주려고 한다고 부동산에서 연락이 왔었다.) 알겠습니다. 그럼 제가 보증금을 미리 내어 드릴게요."

배당 받을 보증금의 일부를 미리 노인에게 건네주고 집을 비워 두니, 매매를 위한 집 보여주기가 남들보다 더 수월했다.

그러나 내 생각과 달리 아파트는 매매가 잘 이루어지지 않았다. 하지만 곧 이사 수요가 많아지는 가을이 되면 충분히 매매가 도리 거라고 생각했다. 부동산에도 관심 있는 손님들의 연락이 계속 이어졌다.

그러던 어느 날, 부동산에서 연락이 왔다.

"사장님, 1억 2000만 원에서 100만 원 조정해서 1억1900만 원에 계약하고 싶다는 분이 계시는데 어떠세요?"

"네, 그렇게 할게요."

평균적으로 낙찰에서 잔금 처리까지 45일이 걸리고, 배당 기일까지 고려하면 세 달 정도가 소요되는 데 반해, 나는 정확히 2달 반 만에 계약서를 썼다.

매매가 1억 1900만 원 − 낙찰가 1억 100만 원 + 제반 비용 500만 원 = 매매 차익 1300만 원

아파트 매매 계약서

매도인과 매수인 쌍방은 아래 표시 아파트에 관하여 다음 내용과 같이 매매계약을 체결한다.

1. 아파트의 표시

소 재 지	경기 동두천시				
토 지	지 목	대	대지권 34.1482	면 적	16361 ㎡
건 물	구 조	철근콘크리트	용 도 주거용	전용면적	59.99 ㎡

2. 계약내용

제 1 조 위 아파트의 매매에 있어 매수인은 매매대금을 아래와 같이 지불하기로 한다.

매매대금	金 일억일천구백만	원정 (₩119,000,000)
융 자 금	金	원정은 현상태에서 승계함.
계 약 금	金 팔백만(₩8,000,000)	원정은 계약시에 지불하고 영수함.
중 도 금	金	원정은 년 월 일에 지불하며
	金	원정은 년 월 일에 지불하며
잔 금	金 일억일천일백만(₩111,000,000)	원정은 2011 년 11월 17 일에 지불한다.

제 2 조 매도인은 매수인으로부터 매매대금의 잔금을 수령함과 동시에 매수인에게 소유권 이전등기에 필요한 모든 서류를 교부하고 이전등기에 협력하며, 위 아파트를 2011년 11월 17일에 인도한다.

제 3 조 매도인은 소유권의 행사를 제한하는 사유가 있거나 조세공과 기타 부담금의 미납금 등이 있을 때에는 잔금 지급일 이전까지 그 권리의 하자 및 부담 등을 제거하여 완전한 소유권을 매수인에게 이전한다. 다만, 승계하기로 합의하는 권리 및 금액은 그러하지 아니한다.

제 4 조 위 아파트에 관하여 발생한 수익의 귀속과 제세공과금 등의 부담은 위 아파트의 인도일을 기준으로 하되 지방세의 납부의무 및 납부책임은 지방세법의 규정에 의한다.

제 5 조 매수인이 매도인에게 중도금(중도금이 없을때는 잔금)을 지불하기 전까지 매도인은 계약금의 배액을 상환하고 매수인은 계약금을 포기하고 본 계약을 해제할 수 있다.

제 6 조 매도자 또는 매수자가 본 계약상의 내용을 불이행시 그 상대방은 불이행한자에 대하여 서면으로 최고 하고 계약을 해제할 수 있다. 그리고 계약당사자는 계약해제에 따른 손해배상을 각각 상대방에게 청구할 수 있으며, 손해배상에 대하여 별도의 약정이 없는한 계약금을 손해배상의 기준으로 본다.

제 7 조 중개수수료는 본 계약체결과 동시에 계약 당사자 쌍방이 각각 지불하며,중개업자의 고의나 과실없이 거래당사자 사정으로 본 계약이 무효, 취소, 해제 되어도 중개수수료는 지급한다.

제 8 조 중개대상물확인설명서는 2011년 10월 27일 중개의뢰인에게 업무보증관계증서 사본과 함께 교부한다.

[특약사항]

1.현시설상태하의 매매계약입니다.
2.매도인은 잔금시 근저당을 해지하기로 합니다.
3.매수인은 잔금시 선수관리예치금을 매도인에게 지불하기로 합니다.
4.기타사항은 주택매매지주소관례에 따르기로 합니다.

본 계약을 증명하기 위하여 계약당사자가 이의없음을 확인하고 각자 서명, 날인한다.

2011 년 10 월 27 일

매 도 인	주 소	제주특별자치도 제주시 이도이동				
	주민번호	800405-	전 화		성 명	
대 리 인	주민번호		전 화		성 명	
매 수 인	주 소	경기도 동두천시				
	주민번호	660529-1	전 화	010-3373-	성 명	심
대 리 인	주민번호		전 화		성 명	

당시 나는 제주도에서 수도권으로 이사를 준비 중이었다. 제주도에서 이사를 하려면 비용이 많이 들기 때문에, 다 버리고 새로 구입하기로 했다. 이번 매매 차익으로 번 1300만 원으로 새집에 필요한 TV, 가구, 소파, 냉장고를 구입했다.

남은 한 채는 1000/45만 원의 기존 임차인과 재계약을 했다.

한 달이라는 시간이 흐른 후, 법원에서 만났던 남자에게 연락이 왔다.

"사장님? 이거 단기 매매하려고 했는데 정말 잘 안 되네요."

"어? 저는 그거 한 달 전에 1억 2000만 원에서 100만 원 조정해주고 벌써 팔았는데요?"

"와~ 어떻게 그렇게 하셨어요? 우리는 1억 1000만 원에도 지금 못 팔아서 난리인데……."

역시 내 예상대로 선호도가 높은 물건을 선택하고, 빠르게 명도를 진행한 것이 남들과의 경쟁에서 더 좋은 결과를 올린 듯싶다.

시간이 흘러 2년 후, 부동산에서 이야기한 대로 다시 엄청난 물량의 경매가 나왔다.

나는 이미 한 번 임장 활동을 하였고 낙찰을 받았었기 때문에, 남들보다 입찰하는 데 유리했다. 나는 지난번보다 한결 쉽게 낙찰을 받아 월세를 놓았다.

소재지	경기도 동두천시	도로명주소검색
새주소	경기도 동두천시	

물건종별	아파트	감정가	117,000,000원
대지권	45.265m²(13.693평)	최저가	(64%) 74,880,000원
건물면적	59.99m²(18.147평)	보증금	(10%) 7,490,000원
매각물건	토지·건물 일괄매각	소유자	조
개시결정	2012-07-31	채무자	이
사건명	임의경매	채권자	

오늘조회: 1 2주누적: 4 2주평균: 0 조회동향

구분	입찰기일	최저매각가격	결과
1차	2012-11-22	117,000,000원	유찰
2차	2012-12-27	93,600,000원	유찰
3차	**2013-01-31**	**74,880,000원**	

낙찰 : 95,055,555원 (81.24%)

(입찰6명,낙찰:

매각결정기일 : 2013.02.07 - 매각허가결정

대금지급기한 : 2013.03.14

대금납부 2013.03.14 / 배당기일 2013.05.16

배당종결 2013.05.16

사진 펼쳐보기

사진 | 건물등기 | 감정평가서 | 현황조사서 | 매각물건명세서 | 부동산표시목록 | 기일내역 | 문건/송달내역 | 사건내역 | 전자지도 | 전자지적도 | 로드뷰 | 온나라지도+

• **매각물건현황** (감정원 : 소암감정평가 / 가격시점 : 2012.08.02 / 보존등기일 : 2000.07.19)

목록	구분	사용승인	면적	이용상태	감정가격	기타

소재지	경기도 동두천시	도로명주소검색
새주소	경기도 동두천시	

물건종별	아파트	감정가	110,000,000원
대지권	45.265m²(13.693평)	최저가	(80%) 88,000,000원
건물면적	59.99m²(18.147평)	보증금	(10%) 8,800,000원
매각물건	토지·건물 일괄매각	소유자	조
개시결정	2013-01-15	채무자	조
사건명	임의경매	채권자	

오늘조회: 1 2주누적: 0 2주평균: 0 조회동향

구분	입찰기일	최저매각가격	결과
1차	2013-05-21	110,000,000원	유찰
2차	**2013-06-25**	**88,000,000원**	

낙찰 : 97,500,000원 (88.64%)

(입찰4명,낙찰:

매각결정기일 : 2013.07.02 - 매각허가결정

대금지급기한 : 2013.08.01

대금납부 2013.08.01 / 배당기일 2013.08.27

배당종결 2013.08.27

사진 펼쳐보기

사진 | 건물등기 | 감정평가서 | 현황조사서 | 매각물건명세서 | 부동산표시목록 | 기일내역 | 문건/송달내역 | 사건내역 | 전자지도 | 전자지적도 | 로드뷰 | 온나라지도+

• **매각물건현황** (감정원 : 소암감정평가 / 가격시점 : 2013.01.21 / 보존등기일 : 2000.07.19)

목록	구분	사용승인	면적	이용상태	감정가격	기타
건물	15층중	00.04.20	59.99m² (18.15평)	방3, 거실, 주방, 화장실겸 욕실, 발코니 등	83,600,000원	• 개별난방
토지	대지권	11939m² 중 45.2654m²			26,400,000원	

낙찰가 9500만 원 – 대출 7600만 원 + 보증금 1000만 원
= 실투자금액 900만 원 + 제반비용 300만 원 = 1200만 원

이번 경매를 통해 1200만 원을 투자해서 이자 비용을 지불하고도 월 25만 원/연 300만 원의 임대 수입이 생겼다. 이렇게 2채를 낙찰 받아 총 2400만 원을 투자하면 월 50만 원/연 600만 원의 임대 수입이 생긴다. 1억 원을 투자한다면 월 200만 원/연 2400만 원의 임대수입이 생기는 것이다.

물론 큰 현금 흐름은 아니지만, 여러 군데 투자하면 투자 리스크를 줄일 수 있다.

이번 역시 전면동에 경관이 좋은 물건을 낙찰 받았기 때문에, 향후 매매도 손쉽게 될 것이다. 그렇게 되면 매년 안정적인 현금 흐름과 향후 매각 시 차익은 보너스인 셈이다.

이처럼 1억 대출 미만의 DTI 규제만 피한다면 1000만 원의 소액으로 투자할 수 있는 곳이 수도권에 상당히 많이 존재한다.

Chapter 4

내 집 마련의 기술

내 집 마련의 **기술**

수도권에 3천만 원으로 내 집 마련하기

제주에서 수도권으로 이사를 가기 위한 여유 자금은 3000만 원이 전부였다. 그동안 지속적으로 투자를 했기에 당연히 여유 자금이 많이 있을 리가 없었다.

여유 자금 3000만 원을 들고 입성하려면… 인구 2500만의 수도권에서는 원룸 3평짜리 전세나 가능할 것이다. 어차피 출퇴근이 필요 없는 관계로 서울에 꼭 살아야 할 이유는 없었다.

나는 인터넷을 통해 수도권 살펴보기 시작했다. 그러다 경기 고양시에 위치한 행신동을 살펴보았다. 이곳 역시 최소 5000만 원이 필요해 여유 자금 3000만 원으로는 턱없이 부족했다. 거기다가 아파트가

1995년 이전에 지어진 것이라 매매를 위한 잔금 이외에도 집을 어느 정도 개선하기 위한 인테리어 비용이 상당히 필요했다.

부모님께 도움을 청하고 싶었지만 꾹 참고 있다가 슬쩍 여쭤봤다.

"제주도에서 나와서 살 건데 행신동에 살려면 2000만 원이 부족하네요."

"널 도와주고 싶지만 우리도 여력이 없으니 너 혼자 알아서 해라."

조금 서운하긴 했지만, 3000만 원을 가지고 당시 임신한 와이프를 데리고 갈 곳을 찾는 것은 온전히 내 능력에 달려 있었다. 부모님께 도와달라고 한 번 더 매달려 보고도 싶었지만, 도와주고 싶어도 도와주실 수 없는 부모님의 마음은 오죽 답답하실까 싶어 그만두었다.

여유 자금만으로 가능한 내 집 마련을 네이버 부동산을 통해 눈이 빠지도록 검색해보았다. 며칠 밤을 그렇게 지새우고 또 지새웠지만, 내가 갈 곳을 찾기란 쉽지 않았다. 32살이 되도록 내 집 마련은 안 하고 오로지 투자만 했던 것이 조금 안타까웠다.

이전까지 월세를 얻어 거주했는데 내 집이 아니라 겨울에 상당히 추운 적이 많았다. 임차인으로 살았기 때문에 단열재를 넣을 수도 없었고, 샤시도 교체할 수 없었기 때문이다.

결국 돈이 없다고 해서 행복하지 않은 건 아니지만, 이처럼 불편했다.

과거 임차인으로 살던 시절, 보일러가 고장 나 주인에게 전화를 걸면 주인은 항상 이렇게 말했다.

"수리비 2만 원 나왔는데 이건 소모품이라 제가 비용 납부할 테니 주세요."

"허허, 그런 건 대충 다 알아서 고쳐 사는 거 아니에요?"

이런 수모를 겪지 않을 수 있는 따뜻한 보금자리, 그리고 빈번한 이사가 필요 없는 내 명의로 된 집이 필요했다. 여유자금 3000만 원으로 우리 가족이 행복해질 수 있는 보금자리를 갖고 싶었다.

나는 일단 내 집 마련의 조건을 정리해 보았다.

1. 교통이 편리해야 한다.
2. 소득 수준이 낮지 않아야 한다.
3. 깨끗한 아파트, 환경 및 병원, 마트가 가까워야 한다.
4. 3000만 원대에서 이 모든 걸 다 충족하는 곳을 찾아야 한다.

보름 정도 수도권을 살펴보니 영종도가 아파트 시세의 하락폭이 컸고, 비교적 소득 수준이 높은 4가지 조건을 가진 곳이었다.

전국 각 지역에 투자를 해야 하는 나에게 김포공항, 인천공항이 근처에 있어 빠르게 비행기를 탈 수 있고, 공항에 있는 리무진버스로 쉽게 전국 어디든 갈 수 있는 시스템은 매우 탐이 나는 조건이었다.

공항 종사자들과 공항공사 직원들의 소득 수준이 높고 인천과학고,

인천하늘고(사립)로 인해 매년 매매 및 전세가에 영향을 미칠 정도로 학군에 대한 수요도 많았다.

평소에 해가 지는 노을을 자주 볼 수 있고, 바다가 항상 내 옆에 머물러 있으니 마음이 울적할 때 음악을 들으며 교통 체증 없이 드라이브를 하기에도 참 좋은 곳이다.

영종도는 섬이라 많은 사람이 모르지만, 여름에 1 ~ 2번만 에어컨을 켤 정도로 서울이나 다른 지역과 다르게 열대야가 없어서 사실상 봄, 가을, 겨울만 있는 동네라고 보면 된다.

주변에 아기자기한 섬들이 위치해 있고, 5분이면 바다를 볼 수 있으며, 해수욕장 및 물이 빠지면 드러나는 갯벌은 굴과 조개, 꽃게가 풍부하기 때문에 낚시를 좋아하는 나에게 안성맞춤이었다. 작은 병원 및 관공서, 마트가 걸어도 도보 1분 안에 모든 걸 해결할 수 있는 지역이기도 했다.

7월 달에 제주도에서 와이프와 함께 비행기를 타고 영종도에 도착했다. 그리고 물건지 인근 부동산에 방문하여 시세 조사를 했다. 부동산에 들어가니 중개인이 친절하게 맞이해 주었다.

"사장님, 젊은 부부 살 집이 필요한 데 시세가 어떻게 되나요?"

"21평은 1억 4000 ~ 1억 5000만 원 정도 하고, 23평은 1억 7000 ~ 1억 8000만 원 정도 합니다."

우리 부부는 21평에 살아도 괜찮다고 생각했다. 그 당시는 KB 시세에 60%가 대출이 가능했고, 후순위로 10% 정도 저축은행으로 대출이 가능했다.

매매가 1억 4000만 원 - 대출 1억 원 = 4000만 원

당장 여유 자금 3000만 원에 마이너스통장을 이용하여 동원할 수 있는 몇백만 원이 자산의 전부였는데, 이 금액으로는 집을 구입하기엔 약간 돈이 부족했다. 항상 많은 투자를 하기 때문에, 여유 자금을 많이 보유하긴 힘들었다.

하지만 당시 수도권 부동산 가격 하락이 어느 정도 진행된 상태라, 과거 거품으로 2억 원까지 올랐던 21평형의 가격이 더 하락하긴 어려워 보였다. (과거 이 아파트의 시세가 2억일 때 도시 근로자 소득대비 PIR은 거품이었다.)

2007년 매매가 2억 원 / 도시 근로자 연 소득 4387만 원
= PIR 4.56(4년 6개월)

2011년 매매가 1.4억 원 / 도시 근로자 연소득 5097만 원
= PIR 2.75(2년 7개월)

이렇게 따져 봤을 때, 시세 하락 및 소득 증가로 내 집 마련이 2년 7개월이면 가능하다는 수치가 나타났다.

부동산에서 보여준 아파트 구조를 살펴보고 제주도로 돌아와 그 지역 경매 물건을 한번 살펴보았다. 자세히 살펴보았으나 경매 물건은 내가 원하는 게 없었다. 그런데 공매를 살펴보니 생각지 못했던 국유자산 매각 물건이 있었다.

국유자산 매각 물건이라 관사로 사용하다가 공실인 상태였고, 내가 원하는 위치의 아파트였다. 국유자산 매각 물건의 경우 낙찰 시 잔금 납부를 60일까지 납입하면 되기 때문에, 11월쯤 이사 올 날짜까지 충분히 벌 수 있는 좋은 조건이었다.

하지만 입찰을 해서 과연 낙찰을 받을 수 있을까? 만약 낙찰을 못 받으면 어쩌지? 하는 생각이 들었다.

하지만 과감하게 낙찰가를 산정하는 데 매매가 대비 500 ~ 1000만 원 수준으로 시세보다 낮게 낙찰가를 산정하고 입찰에 들어갔다.

결과는 단독으로 낙찰 되었고, 3000만 원이 조금 넘는 금액으로 나

소재지	인천 중구 [blurred] 도로명주소검색				
물건용도	아파트	위임기관		감정기관	-
세부용도		집행기관	한국자산관리공사	감정일자	0000-00-00
물건상태	낙찰	담당부서	서울지부	감정금액	0
공고일자	2011-07-04	재산종류	국유재산	배분요구종기	0000-00-00
구조형태	철근콘크리트조	층수	15	건축년도	2002년
노후정도		인입시설		조사일자	2011/05/17
면적	건물 51.49㎡, 토지 55.157㎡			처분방식	매각
명도책임		부대조건			
도시계획					
유의사항					

▸ 입찰 정보(인터넷 입찰)

회/차	대금납부(납부기한)	입찰시작 일시~입찰마감 일시	개찰일시 / 매각결정일시	최저입찰가	결과
014/001	(60)	11.07.11 10:00 ~ 11.07.12 18:00	11.07.13 11:00 / -	126,000,000	낙찰

낙찰 결과

낙찰금액	134,180,000	낙찰가율 (감정가격 대비)		낙찰가율 (최저입찰 대비)	106.49%
유효입찰자수	1명	입찰금액	134,180,000원		

의 가족의 첫 보금자리가 탄생했다.

첫 보금자리가 생긴 후 세상에서 내가 거주하는 21평 아파트가 제일 좋아 보였다. 그 후, 엘리베이터를 타고 오르락내리락할 때마다 입지 좋고 살기 좋은 곳이라고 너무 좋아했던 기억이 난다. 모든 사람들이 자기가 살고 있는 지역이 가장 편리하고 살기 좋다고 착각하는 것처럼 말이다.

이 시절까지 수많은 부동산을 매매와 경매로 사고팔면서 이보다 더 기쁜 적도 없었다.

내 가족이 편안하게 쉴 수 있는 곳이야말로 내가 가장 먼저 갖추었어야 할 필수조건이 아니었나 생각해본다.

여기서 누구나 값싸게 내 집 마련이 가능한 국유재산 공매의 장점을 살펴보도록 하자.

1. 잔금이 60일 이내(공실인 상태에서 담당자를 잘 구슬려 인테리어가 가능하다.)
2. 공실이라 얼마든지 하자 상태를 체크하고 볼 수 있다.(대부분의 키 번호는 0000이다.)
3. 명도가 필요 없다.(초보자도 클릭만으로 낙찰 가능, 국가의 재산)
4. 시세보다 최소 1000 ~ 2000만 원정도 저렴하다.

2011년은 사실상 국내의 부동산 경기가 계속 하락추세였고, 금리 역시 하락하는 추세로 내 집 마련에 있어 불안감이 증폭되던 시기였다. 이러한 불안감과 미분양 물건의 증가로 결국 수많은 건설사들은 도산했다. 그렇기에 집값 상승보단 하락의 가능성에 많은 사람들이 무게를 두게 된다.

하지만 21평형의 공급은 어렵기 때문에, 별 어려움 없이 내 집 마련에 대한 빠른 판단을 내렸다. 또한 임대로 얻는다면 6프로의 이자비용이 지불되지만 실거주를 한다면 그보다 이자비용이 절감되어 당연히 실거주 목적의 매입이 올바른 판단이라 생각이 들었다.

이렇게 2011년의 12월의 마지막 날을 얼마 남기지 않고 나는 아빠가 되었다.

아이의 탄생에도 불구하고, 2012년 새로운 해에도 역시 부동산은 계속 빠르게 얼어붙었다. 봄을 알리는 꽃들이 피어나는 시기였지만 부동산은 계속 얼어붙었다.

나는 수도권 아파트에 관심을 가지며 향후 2년 후부터 공급이 부족이 되는 점을 밤샘 공부하며, 실수요자로 갈아탈 준비를 했다.

집 마련 후 큰 평형으로 갈아타기

실수요자로 갈아타기 위해서는 미리 아파트를 매입해서 월세를 놓거나 직접 거주해야 하는데, 큰 자본이 없으니 일단 미리 매입해놓고 훗날 자본이 생기면 이사 갈 생각으로 접근했다.

동네 인근 부동산에 들르니 이 동네 사람들이 선호하는 아파트가 2007년 4억을 고점으로 2억 4000 ~ 2억 6000만 원까지 빠진 상태였다.

나는 중개업자에게 이렇게 이야기했다.

"사장님, 앞으로 금호 베스트빌 2단지 2억 가면 매수할 생각 있으니 연락 주세요!"

"헐, 그 가격이 나오는 게 힘들 건데……. 알았어요, 그 가격에 나오면 내 한번 연락 드릴게."

2억 원의 매입가를 고집하고 가치 평가를 한 이유는 단 한 가지였다. 이 물건을 2억 원에 매입하면 나는 큰 자본 투자 없이 월세를 놓을 수 있기 때문이다.

이 당시 월세 시세는 2000/80, 3000/70에 거래되고 있었다.

나의 계산으로는 2억에 매입하여 대출 1억 6천을 실행하고 보증금 4000/60만 원에 임대를 놓을 생각이었는데, 사실상 매입하여 멋지게 집수리를 하면 충분히 월세를 놓을 자신감이 있었다.

(물론 최우선변제금액을 초과하여 입주를 잘 안 하려고 하는 경향이 있긴 하다.)

매매가 2억 - 대출 1억 6000만 원 + 보증금 4000만 원
= 실투자금액 0원 + 제반 비용

2012년 6월이 지나고 무더운 여름이 찾아오기 전쯤 부동산에서 연락이 왔다.

"사장님 저번에 말씀하신 아파트 2억 가면 산다고 하셨죠? 지금 2억짜리 매물이 있는데 어떻게 하시겠어요? 집주인이 급매물로 정리해달라고 해서 내가 2억 원으로 맞췄는데."

나는 쉽게 대답했다.

"좋습니다. 매입해서 대신 보증금 4000/60 월세를 놓아주세요."

부동산 중개인에게 쉽게 대답할 수 있었던 건 처음부터 2억 원이란 금액을 제시하였기 때문이다.

2억 원에 투자하면 매매가는 2억이지만 KB 시세는 2억 5500만 원으로, 매매가 기준이 아닌 KB 시세를 기준으로 대출이 가능하기 때문에 매매가 대비 80%의 대출이 저금리로 가능했다.

시세가 상승 그리고 하락할때는 KB 시세의 반영이 느리다.

이렇듯 부동산 하락기에서는 KB 시세의 성향을 잘 이용하면 저금리로 대출을 받을 수 있다.

그런데 예상은 했지만 소유권 이전 후 큰 문제가 발생했다.

소유권 이전이 끝나고 얼마 후 5500세대가 살고 있는 동네에서, 옆동네인 하늘도시로 약 9000세대의 입주가 시작되면서 월세 시세가 무섭게 하락하기 시작했다.

[집합건물] 인천광역시   고유번호

순위번호	등 기 목 적	접 수	등 기 원 인	권 리 자 및 기 타 사 항
2-1	2번등기명의인표시변경		2003년11월12일 전거	현 의 주소 인천광역시 2012년8월24일 부기
3	소유권이전	2012년8월24일 제 호	2012년7월24일 매매	소유자 고 800405-1****** ~~인천광역시~~ 거래가액 금200,000,000원
3-1	3번등기명의인표시변경	2013년3월28일 제 호	2012년12월7일 전거	고 ~~의 주소 인천광역시~~
3-2	3번등기명의인표시변경		2014년6월20일 전거	고 의 주소 인천광역시 2014년6월20일 부기
4	소유권이전	2014년6월20일 제 호	2014년3월25일 매매	소유자 오 770112-1****** 인천광역시 거래가액 금257,000,000원

대부분 수도권이 그렇듯 실수요자들이 가장 선호하는 30평대의 공급 물량이 넘쳐나면서 하늘도시의 30평대 월세는 보증금 500/30만 원에 시작되었다.

하루가 지날수록 시세는 5만 원씩 하락하고, 월세 매물들은 계속 늘어만 갔다. 결국 예상과 달리 매입한 아파트는 예상보다 큰 폭의 월세 시세가 하락되어 초기 보증금 4000/60만 원에서 보증금 2000/40만 원 정도의 시세가 형성되었다.

만약 단지 투자용으로만 접근했다면 얼마나 끔찍한 일이 벌어졌을까?

하지만 나는 실거주와 투자, 두 가지 목적을 가지고 접근했기 때문에 이러한 방법이 가능했다. 21평 아파트의 대출금은 1억 원인데 이자율이 6%였고, 매달 50만 원의 이자를 냈다.

1년 동안 금리가 하락해 L모 보험사에서 신규 대출을 받을 때, 32평 아파트의 대출금이 1억 5300만 원인데 5년간 고정금리의 이자율은 4.5%로, 매달 57만 원의 이자를 지불했다.

이렇듯 32평의 아파트로 이동하면서 매달 7만 원의 이자 비용만 더 지불하면 됐기 때문에 금융 비용면에서도 크게 부담되지는 않았다.

1년 만에 21평에서 32평으로 이사하면서 최소한의 인테리어를 했다. 인테리어 비용은 집값의 10%를 초과하면 나중에 팔 때 많은 차익을 보기 힘들다. 따라서 장기 거주할 목적이 아니었기 때문에 최소한의 인테리어를 했다.

집을 이사하게 되니 주방과 거실도 넓어지고 화장실도 2개나 있어 너무 좋았다. 사랑스러운 아이의 방도 예쁘게 꾸며 놀이방으로 만들었다.

11 ~ 12월이 되자 지속된 신규 주택 공급 물량으로 아파트 가격이 더 하락하기 시작했다. 하지만 충분히 당시 시세보다 3000만 원이나 싸게 급매로 매입했기 때문에 별 영향이 없었다.

2007년 매매가 4억 원 / 도시 근로자 연 소득 4387만 원
= PIR 9.1(9년 1개월)

2011년 매매가 2억 원 / 도시 근로자 연소득 5097만 원
= PIR 3.92(3년 9개월)

시세 하락 및 소득 증가로 소득 대비 내 집 마련이 3년 9개월이면 가능한 수치가 나타났다.

부동산 시세가 하락하여 바닥을 확인하는 건 PIR로 대입하는 게 가장 좋다.

과거 수년간의 시세를 지표로 공식을 대입하면 평균값을 찾을 수 있고, 평균 아래에서 투자한다면 저평가된 상태에서 매입할 수 있다.

시세 하락 후 부동산에 들러 물어보니, 가장 싸게 거래된 것이 1억 9000만 원까지도 거래가 되었다고 한다. 그래도 급매물을 2억 원에

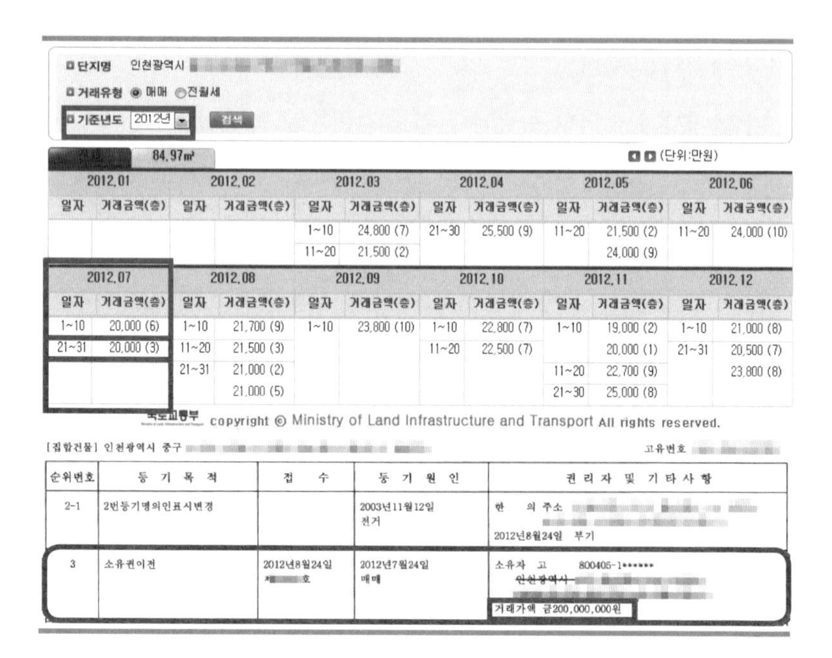
단지명 인천광역시

거래유형 ◉ 매매 ◯ 전월세

기준년도 2012년 검색

84.97㎡ (단위:만원)

2012.01		2012.02		2012.03		2012.04		2012.05		2012.06	
일자	거래금액(층)	일자	거래금액(층)	일자	거래금액(층)	일자	거래금액(층)	일자	거래금액(층)	일자	거래금액(층)
				1~10	24,800 (7)	21~30	25,500 (9)	11~20	21,500 (2)	11~20	24,000 (10)
				11~20	21,500 (2)				24,000 (9)		

2012.07		2012.08		2012.09		2012.10		2012.11		2012.12	
일자	거래금액(층)	일자	거래금액(층)	일자	거래금액(층)	일자	거래금액(층)	일자	거래금액(층)	일자	거래금액(층)
1~10	20,000 (6)	1~10	21,700 (9)	1~10	23,800 (10)	1~10	22,800 (7)	1~10	19,000 (2)	1~10	21,000 (8)
21~31	20,000 (3)	11~20	21,500 (3)			11~20	22,500 (7)		20,000 (1)	21~31	20,500 (7)
		21~31	21,000 (2)					11~20	22,700 (9)		23,800 (8)
			21,000 (5)					21~30	25,000 (8)		

국토교통부 copyright © Ministry of Land Infrastructure and Transport All rights reserved.

[집합건물] 인천광역시 중구 고유번호

순위번호	등기목적	접수	등기원인	권리자 및 기타사항
2-1	2번등기명의인표시변경		2003년11월12일 전거	한 의 주소 2012년8월24일 부기
3	소유권이전	2012년8월24일 제 호	2012년7월24일 매매	소유자 고 800405-1****** 인천광역시 거래가액 금200,000,000원

샀기 때문에 시세 하락에도 사실상 바닥에 매입한 셈이었다.

시세 하락 이전에 부동산에서 생각하는 상상 이하의 매매가를 이야기했고, 어차피 누구나 하락할 거라는 생각이 팽배했기 때문에 비관적인 분위기 이전에 값싼 가격으로 살 수 있었던 것이다.

나 역시 사람인지라 두려움과 공포에 휩싸였지만 그래도 그 정도 가격이면 됐다고 스스로 마음속으로 위안을 삼으며 부동산 시세 하락에서 멀어지려 노력했다.

그런데 또 문제가 생겼다. 어느 날, 와이프가 나를 불렀다.

"오빠! 이리 와 봐~ 여긴 우리 살던 곳보다 햇빛이 잘 안 들어오네?"

아파트 외부 주차장에 서서 하루에 몇 번이고 확인했던 햇빛이 들어오지 않는 것이었다.

매도인은 낮에 집을 보러 오지 못하게 하고, 밤에 집을 보러 오게 했다. 그러한 이유인즉, 결국 햇빛이 들어오는 채광량이 부족하기 때문에 일부러 저녁에 집을 보러 오게 한 것이다.

낮에 외부에서 볼 때는 남향이라 햇빛이 충분히 들어오는 듯 보였지만, 실제로 아파트 옥상에 통풍구에 걸려 일정 시간 일조권이 부족했고, 여름과 달리 겨울에는 어두컴컴한 생활을 하게 되었다.

아파트는 조망권 그리고 일조권이 중요한데 이 두 가지 모두가 갖춰지지 못한 것이다.

수많은 매매를 통해 남향을 고집하고 로열층만 고집했던 나도, 당시에는 여유 자금 한도 내에서 2억 원이란 매매 금액만 중요하게 생각했다. 가지고 있는 여유 자금의 한도 내에서 선택할 폭은 한정되어 있었기 때문이다.

물론 빛이 하나도 안 들어오는 건 아니었지만, 계절에 있어 여름과 달리 겨울엔 해가 짧기 때문에 그리 썩 좋지 못했다.

그래도 행복했다. 2011년 초기 자본 3000만 원으로 21평 아파트에서 2012년 32평 아파트로 이사한 후 삶의 질이 높아진 것처럼 느껴졌고, 엘리베이터를 탈 때마다 이전에 내 집 마련을 처음 했던 것처럼 더 좋은 주거환경에 만족하고 감사했다.

경매로 아파트 44평형으로 갈아타기

하지만 나의 욕심은 끝이 없었다. 2012년 12월 수도권의 부동산 가격 하락은 2013년 연초까지 이어졌고, 정말 낮은 낙찰가로 상당수의 아파트들을 낙찰 받느라 자고나면 나도 모르게 법원에 가있던 시절이었다.

어느 날 와이프가 이런 이야기를 했다.

"오빠~ 나 아는 언니는 우리집 앞쪽에 44평에 산대~"

"그래? 그 언니는 전세야? 매매야?"

"몰라~ 아무튼 거기 사는데 우리 집보다 넓고 좋더라고~"

대화가 끝난 후 경매 물건을 살펴보니, 그 아파트가 경매로 나와 있었다.

다음 날 오전 식사 도중에 와이프에게 이야기를 꺼냈다.

"어제 내가 보니까 그 아파트 경매 나온 게 있던데 1층이야. 그거 낙찰 받아서 거기로 이사 갈까?"

"가면 좋겠지. 근데 청소도 힘들고 관리비도 많이 나오지 않을까? 여기도 충분한데~"

"그래? 그럼 여기 그냥 살자~"

그날의 대화는 그렇게 흘러 지나가 버렸고, 그러던 중 2013년 3월경 반전이 일어났다.

정부에서 투자로 비과세 물건 및 여러 가지 혜택을 내놓으면서 경매시장 및 매매시장은 잠시 동안 급반전했다.

당시 매일 밤을 지새우며 수많은 자료들을 검색하고 연구해 부동산시장의 흐름에 가까이 접근해 있었기 때문에 자연스레 흐름의 변동에 반응했다.

'흠… 한 번 더 기회가 온다면 좋은 조건에 실수요로 갈아탈 수 있을지도 모르겠구나.'

정부에 혜택에도 실수요자 및 투자자들은 크게 움직이지 않았다.

다시 2013년 7 ~ 8월 심리적으로 시세는 더욱 하락해 시장은 비관적으로 변화되었다. 나는 매일 밤을 새워 향후 수도권 공급 및 시세 흐름에 대해 연구했다.

'바닥이다. 이 정도 가격 수준이라면 낙찰 받아야겠다.'

나는 법원에 가면 남들과 달리 낙찰률이 상당히 높다. 대부분 최저가에 낙찰하는데, 확실히 낙찰을 받기 위해 법원에 가는 것이지, 그냥 싼 가격에 입찰해 보기 위해 가는 것이 아니기 때문이다.

나는 그런 형태의 입찰을 좋아하지 않는다. 그런 행동은 대체로 본인 스스로 그 물건에 대한 믿음과 확신이 부족하기 때문이다. 결국 대부분 주인공이 아닌 조연 배우 역할을 하는 셈이다.

나는 항상 법원에 입찰하러 갈 때는 주연배우로 나오는 경우가

80% 이상이다. 나머지 20%는 컨설팅 업체와 전세금을 날리게 되어 어쩔 수 없이 고액 낙찰하는 세입자가 대부분이다.

2013년 가을이 되자 매매 시장은 어느 정도 바닥을 지나 서서히 상승기에 도래했다. 이 당시 지인들과 후배들에게 대지권 40평에 매매 1억 3000만 원인 방 3, 화장실 2 구조의 아파트를 전세 1억 1000 ~ 1억2000만 원에 상당히 많이 추천하고 매입해 주었다. 그 아파트는 1년이 지난 2014년에는 매매가 1억 7000 ~ 1억 8000만 원의 시세를 보여주었다.

그만큼 내 집 마련하기 좋은 시절은 없었다. 물론 현 시점도 내 집 마련이 늦은 시점은 절대로 아니다.

평당 대지의 값이 250만 원이고 40평이면 대지권값이 1억 원인데, 24평의 건축물의 값이 3500만 원이라면 평당 145만 원으로 10년이 지난 주택의 감가상각을 고려해도 초등학교들도 숫자놀이를 해서 알 수 있을 정도로 매우 저평가된 것이다. 즉, 1억 3500만 원에서 대지권값 1억 원을 제외하고 3500만 원이 주택값이란 이야기이다.

시간이 흘러 부동산 시장은 점점 회복세를 나타내면서 나의 실수요 갈아타기 작전은 끝이 나는 듯 보였다.

그런데 12월쯤 집 앞에 44평 아파트가 경매에 나왔다. 우리 아이가 다니는 어린이집이 있는 같은 라인의 아파트가 나오니 흥분을 느꼈다. 매일 아침 와이프가 도보로 5분밖에 안 되는 거리지만 차로 아이를 항상 데려다주고 데려오곤 했는데, 겨울 같은 경우 추운 날씨에 데려다주는 걸 보며 항상 혹시 넘어지지 않을까? 감기에 걸리지 않을까? 하는 불안감에 휩싸였었다.

이걸 낙찰 받으면 1년 동안 시간적인 가치와 연료비역시 상당히 절약할 수 있고, 안전하게 아이를 10초 만에 데려올 수 있어, 이런 조건에 입찰을 결정하게 됐다.

2014년 1월 갑자기 부동산시장이 살아나면서 불과 3 ~ 4개월 전과 다른 흐름을 보였다. 정부의 부동산 시장 활성화 대책과 동시에 심리가 살아나면서 거래량이 늘어났고, 다시 흐름의 변동에 입찰을 결정했다.

입찰 전 관리사무소에 들러 관리비 체납 여부를 확인하니, 직업은 공무원이고 몇 달 연체되었는데 한 번에 몰아 관리비를 납부한다고 해 그리 걱정할 부분은 없었다.

그리고 놀라운 사실은 현재 30평대의 관리비와 40평대의 관리비가 동일하다는 것이었다. 그러한 이유인즉, 입찰하려는 아파트는 관리소 직원들이 적어 인건비 측면에서 절약되기 때문이었다.

단순히 인터넷으로 조사하는 것이 아닌 현장 조사가 이래서 필요한 것이다.

입찰 전 또 부동산의 현재 시세 및 과거 시세 파악을 해보았다. 부동산에 당시 나와 있던 매물은 전망이 좋지 않은 5층으로 3억 원에 나

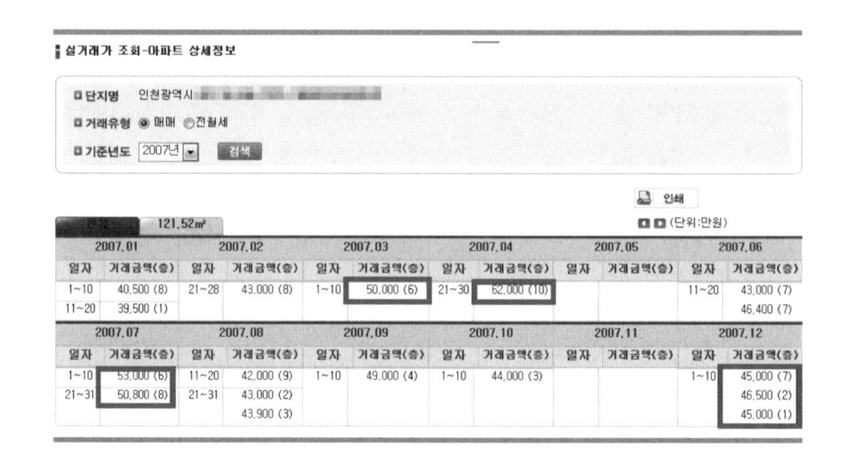
실거래가 조회-아파트 상세정보

단지명 인천광역시

거래유형 ◉ 매매 ◎전월세

기준년도 2007년 검색

인쇄

121.52㎡

(단위:만원)

2007.01		2007.02		2007.03		2007.04		2007.05		2007.06	
일자	거래금액(층)	일자	거래금액(층)	일자	거래금액(층)	일자	거래금액(층)	일자	거래금액(층)	일자	거래금액(층)
1~10	40,500 (8)	21~28	43,000 (8)	1~10	50,000 (6)	21~30	62,000 (10)			11~20	43,000 (7)
11~20	39,500 (1)										46,400 (7)

2007.07		2007.08		2007.09		2007.10		2007.11		2007.12	
일자	거래금액(층)	일자	거래금액(층)	일자	거래금액(층)	일자	거래금액(층)	일자	거래금액(층)	일자	거래금액(층)
1~10	53,000 (6)	11~20	42,000 (9)	1~10	49,000 (4)	1~10	44,000 (3)			1~10	45,000 (7)
21~31	50,800 (8)	21~31	43,000 (2)								46,500 (2)
			43,900 (3)								45,000 (1)

와 있었는데, 금액은 마음에 들었지만 사실상 30평대 고생했던 조망권과 일조권을 생각해 매매 대신 경매로 입찰하기로 마음을 먹고 과거 시세를 살펴보았다.

2007년경 4억 5000 ~ 6억 원까지 아파트 실거래가 이루어졌고, 현재 3억 원 수준에 낙찰을 받는다면 7년간 충분한 하락을 한 상태에서 적절하게 매입하는 것이었다.

> 2007년 매매가 6억 원 / 도시 근로자 연 소득 4387만 원
> = PIR 13.7(13년 7개월)
>
> 2013년 매매가 3억 원 / 도시 근로자 연소득 5527만 원
> = PIR 5.4(5년 4개월)

과거 수년간 평균 PIR 값을 구하면 PIR 7정도가 나온다. 매매가 3억

원에 매입하면 수년간 평균 PIR이하인 5.4 수준에서 매입하는 것이다.

아파트 매입가를 결정할 때 무엇보다 내 자신이 3억 원이란 금액에 매입하여 대출금을 연체하지 않고 잘 상환할 수 있는지도 중요하다.

32평에서 44평으로 이사 가면서 이자 비용은 매달 1만 원만 더 지불하는데다 관리비까지 비슷하고, 아이의 어린이집까지 같은 라인 1층에 있다면 좋은 조건이라 생각했다.

입찰 당일 법원에 가니 사람들이 생각보다 많았다. 현재 시점보다 그 당시엔 부동산 경기 회복에 수많은 사람들이 회의적이었다. 시세가 오르고 반등해도 일시적이라 생각했던 것이다.

감정가 2억 8700만 원에 나온 이 물건을 3억 700만 원으로 과감하게 배팅했다.

이 당시 부동산에 매물은 조망권과 일조권이 안 좋은 3억 원짜리 물건이 전부였고, 이 정도 낙찰 금액을 적어 넣으면 충분히 시세보다 수천만 원은 싸게 매입할 수 있을 거라 생각했다.

또 아침마다 아이를 데려다주는 수고를 덜 수 있고, 똑같은 금융 비용을 지불하고 관리비 역시 동일한 수준이라면, 욕심이 앞선 것도 있지만 이 정도는 내가 베팅할 수 있는 금액이었다.

결과는 두 명이 입찰하여 400만 원 차이로 낙찰되었다.

낙찰을 받고 법원에 들려 열람을 하니 회사 전화번호가 특이했다. 대략적으로 가족 사항 및 여러 가지 이력 사항들을 파악하고 명도를

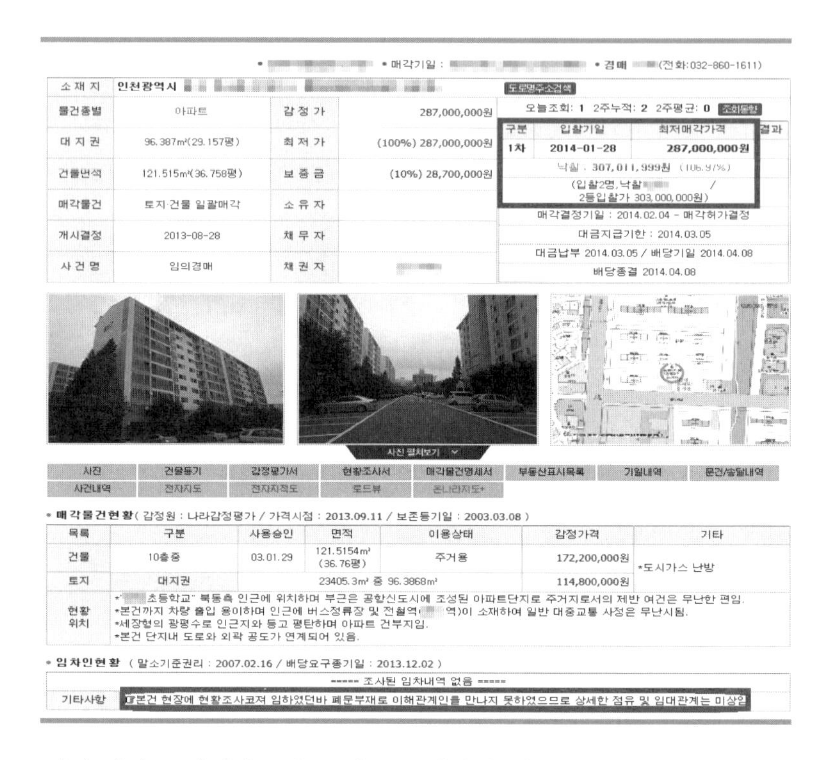

• 매각기일 : • 경매 (전화:032-860-1611)

소재지	인천광역시			도로명주소검색
물건종별	아파트	감정가	287,000,000원	오늘조회: 1 2주누적: 2 2주평균: 0 조회동향
대지권	96.387m²(29.157평)	최저가	(100%) 287,000,000원	구분 / 입찰기일 / 최저매각가격 / 결과
건물면적	121.515m²(36.758평)	보증금	(10%) 28,700,000원	1차 / 2014-01-28 / 287,000,000원
매각물건	토지·건물 일괄매각	소유자		낙찰 : 307,011,999원 (106.97%) (입찰2명, 낙찰 / 2등입찰가 303,000,000원)
개시결정	2013-08-28	채무자		매각결정기일 : 2014.02.04 - 매각허가결정
사건명	임의경매	채권자		대금지급기한 : 2014.03.05
				대금납부 2014.03.05 / 배당기일 2014.04.08
				배당종결 2014.04.08

사진 전체보기

사진 | 건물등기 | 감정평가서 | 현황조사서 | 매각물건명세서 | 부동산표시목록 | 기일내역 | 문건/송달내역
사건내역 | 전자지도 | 전자지적도 | 로드뷰 | 온나라지도+

• **매각물건현황**(감정원 : 나라감정평가 / 가격시점 : 2013.09.11 / 보존등기일 : 2003.03.08)

목록	구분	사용승인	면적	이용상태	감정가격	기타
건물	10층중	03.01.29	121.5154m² (36.76평)	주거용	172,200,000원	*도시가스 난방
토지	대지권	23405.3m² 중 96.3868m²			114,800,000원	
현황 위치	*' 초등학교" 북동측 인근에 위치하며 부근은 공항신도시에 조성된 아파트단지로 주거지로서의 제반 여건은 무난한 편임. *본건까지 차량 출입 용이하며 인근에 버스정류장 및 전철역(역)이 소재하여 일반 대중교통 사정은 무난시됨. *세장형의 광평수로 인근지와 등고 평탄하며 아파트 건부지임. *본건 단지내 도로와 외곽 공도가 연계되어 있음.					

• **임차인현황** (말소기준권리 : 2007.02.16 / 배당요구종기일 : 2013.12.02)

	===== 조사된 임차내역 없음 =====
기타사항	☞본건 현장에 현황조사코져 임하였던바 폐문부재로 이해관계인을 만나지 못하였으므로 상세한 점유 및 임대관계는 미상임

위해 전화를 걸었다. (나는 명도를 만나서 하지 않는다. 대부분 전화로 해결한다.)

"사장님, 낙찰자입니다. 이사 부탁 드리겠습니다~"

"네. 시간을 주시면 이사 날짜를 잡아보겠습니다."

이렇게 통화를 하고, 몇 번의 거듭된 거짓말에 속아주고, 협상 끝에 결국 이사비를 주고, 관리비 납부한 영수증과 키를 받고 이사를 보냈다.

대부분 명도는 지루한 협상 과정을 거쳐야 한다. 일반 매매도 마찬

가지이고, 부동산은 온통 협상을 필요로 한다.

과거 2억 원에 매매한 아파트를 2억 6000만 원에 부동산에 내놓고 매매를 의뢰했을 때, 실수요자들이 상당수 집을 보러왔다.

당시 집값이 상승하는 시점이라 매물은 내놓은 지 얼마 되지 않아 계약서를 쓰게 되었다.

"사장님~ 2억 6000만 원인데 매수인이 300만 원만 조정해달라고 하시네요~?"

고민 없이 바로 대답했다.

"네, 그렇게 하세요."

대부분의 사람들이 정상가에서 할인된 금액으로 구입하려고 한다. 찔러보는 그 사람들 심정도 이해하고, 사실 100만 원만 할인해 줘도 팔릴 집이지만 조금이라도 싸게 사고 싶은 매수인의 마음과 좁은 동

[집합건물] 인천광역시 　　　　　　　　　　　　　　　　고유번호

순위번호	등 기 목 적	접 수	등 기 원 인	권 리 자 및 기 타 사 항
2-1	2번등기명의인표시변경		2003년11월12일 전거	현 의 주소 인천광역시 2012년8월24일 부기
3	소유권이전	2012년8월24일 제 호	2012년7월24일 매매	소유자 고 800405-1****** ~~인천광역시~~ 거래가액 금200,000,000원
3-1	3번등기명의인표시변경	2013년3월28일 제 호	2012년12월7일 전거	~~고 의 주소 인천광역시~~
3-2	3번등기명의인표시변경		2014년6월20일 전거	고 의 주소 인천광역시 2014년6월20일 부기
4	소유권이전	2014년6월20일 제 호	2014년3월25일 매매	소유자 오 770112-1****** 인천광역시 거래가액 금257,000,000원

네에서 가끔 마주칠 것도 생각해서 바로 결정했다.

2012년 그 누구도 비관에 질려 매입하지 않을 때 2억 원에 매입한 아파트를 2억 5700만 원에 매도하였다.

이 당시 실수요자들이 집을 구입했던 가장 큰 이유는 2년 전 전세 가격이 4000 ~ 5000만 원이 상승해 전셋값 상승에 지쳤기 때문이었다. 또한 매매 가격이 바닥에서 다시 오르는 시기였지만, 금리가 낮아짐으로써 가계 부담까지 낮아지면서 실수요자 중심의 매매가 이루어졌다.

이제 남은 건 이사 날짜를 잡고 이사 전 어떻게 수리를 할 것인가였다. 내가 직장에 다닌다면 할 수 없는 일이지만 시간을 자유롭게 쓸 수 있었기 때문에 지인과 직접 같이 해보기로 했다.

물론 경제적인 이득을 많이 얻을 수는 없지만 내 스스로 내 집에 대한 자부심과 그동안 고생했던 와이프에게 좋은 집을 선물해주고 싶었

다. 와이프는 경매로 낙찰 받은 것에 대해 조금 찜찜하게 생각했었는데 전부 새롭게 인테리어를 한다고 하니 기뻐했다.

낙찰 받은 집은 지난 10년 동안 거주했기 때문에 올수리가 필요한 상태였다. 샤시를 빼고 나머지를 모두 교체하고 수리했다.

총 2500만 원의 공사 금액을 투자했는데 매일 여기저기 돌아다니면서 자재를 샀다. 한 번은 혼자서 시멘트와 모래를 올리다가 허리를 삐끗하기도 했고, 화장실을 인테리어 하기 위해 세면대, 파티션 등 자재를 올리는 것 역시 쉽지 않았다.

하지만 시간이 지나도 그때의 고생과 추억이 항상 마음속에 남아 있다.

현재는 부동산 시장의 상승 흐름으로 낙찰가 3억 원에 매입했던 아파트 시세가 3억 8000만 원까지 상승했다.

초기 신혼집을 국유자산 매각 공매를 통해 21평으로 마련해, 다시 일반 매매를 통해 32평으로 옮기고, 다시 경매를 통해 44평의 소유자가 되었다.

내 집 마련과 이사를 3번 하면서 수익률은 3년이 조금 넘는 시간 동안 초기 투자 원금에 700%가 됐다.

내 집 마련은 거주와 투자 개념으로 접근해서 끊임없이 관심과 노력을 가지고 다가선다면, 누구나 좋은 결과를 올릴 수 있을 것이다.

Chapter

실전투자
이것만은 알아두자

실전투자
이것만은 알아두자

아파트 투자시대는 갔다?

2007년 이후 아파트 시장은 얼어붙었다. 대출을 받아 투자를 한 사람들은 대부분 이자를 감당하지 못하고 경매로 시장에 날려버렸고, 수많은 사람들은 심리적으로 얼어붙어 실수요자와 투자자 수요를 이끌어내지 못한 채 지난 7년간 하락에 이르렀다.

2014년 하반기 현재 수도권 아파트 시장은 바닥을 다지고 상승기로 돌아서고 있다. 아파트 투자 시대는 결국 끝난 것일까?

인구는 감소하고 앞으로 고령화로 인해 부동산 가격은 폭락한다는 S경제연구소 S소장의 언론 기사는 부동산 투자자라면 누구나 한 번쯤은 접해 본 이야기다.

올바른 선택이 평생을 좌우하기 때문에 많은 사람들은 이들의 기사를 읽고 모두가 각각 다른 생각을 할 것이다.

나 역시 다르게 생각한다. 어떠한 선택을 하느냐에 따라 자본주의 삶은 결과가 달라진다.

나는 아파트 투자 시대가 끝나지 않았다고 생각한다.

아파트 시대는 10년, 20년 주기로 각광받고, 반복적으로 이루어질 투자 대상이 될 것이다. 경제가 발전하면서 새로운 주거 공간으로 자리 잡은 아파트 문화는 우리가 살아가는 데 가장 값비싼 생활필수품이다.

소득이 증가하면서 아파트는 단지화, 고층화, 대형화를 거듭해가며 새로운 패러다임을 몰고 왔다. 아파트에 브랜드가 생기고, 어디 사는지 한눈에 보아도 그 사람의 경제력을 판단할 수 있을 정도로 브랜드 가치 역시 매우 중요시되었다.

아파트는 상가, 오피스텔, 빌라, 토지와 달리 현금화가 상당히 쉽다. 시세보다 값싸게 처분하면 제빨리 현금화가 가능할 정도로 현금성 높은 자산이다.

또한 다가구 원룸, 빌라와 달리 아파트는 수선충당금을 걷어 처리함으로 사실상 건물 유지 관리에 신경을 쓸 필요가 없다.

물론 아파트를 매입할 때는 공통적으로 유의할 사항이 있다.

1. 단지 수는 최대한 대규모인 단지가 좋다.(세대수가 많을수록 관리비가

저렴하다.)

2. 지하철, 버스 노선이 가까워야 좋다.

3. 우수한 초 중 고등학교가 있으면 좋다.

4. 브랜드 있는 인지도 있는 아파트가 좋다.

5. 주차 시설이 우수한 아파트인지 확인해야 한다.

6. 아파트의 향이 동, 서향보다는 남향이면 좋다.

7. 1층과 15층 그리고 가급적 사이드는 피하면 좋다.

8. 나 홀로 아파트는 주거나 투자 목적에서 피하는 게 좋다.

2008년 금융위기 이후 아파트 시세의 값은 지속적으로 하락하여 2013년 바닥을 지나 2014년 상반기 상승세로 돌아섰다. 이는 지난 7년간 거품이 제거되고, 심리적인 요인들이 반영된 시세이다.

이제 아파트로 돈 버는 시대는 지났다고 한다. 아파트값은 지난 7년간 하락하고, 심리적인 반영으로 인해 집을 사려는 수요자들의 판단이 매매보다 전세로 돌아서 전셋값이 상승했지만, 앞으로 다시 떨어질 수도 있다는 여러 가지 요인들이 반영되었기 때문이다.

하지만 자본주의 경제 시스템이 굴러가는 한 화폐가치의 하락과 인플레이션은 필수적인 부분이다. 오히려 지난 7년간의 인플레이션이 진행되었고, 심리적으로 대중 모두가 아파트 투자에 관심을 두지 않는 이 시점이 가장 큰 기회이다.

현재 수많은 사람들이 아파트 투자 시대가 끝났다라고 말하는 지금이 결국 진짜 기회인 셈이다.

전 세계에서 유일한 전세 제도가 있는 나라

전세 제도는 전 세계에서 유일하게 대한민국이 가지고 있는 임대차 제도이다.

현재 수도권 전셋값은 하루가 다르게 상승 중이고, 또 앞으로도 상승할 전망이다.

대한민국의 전셋값은 임대인의 똑똑함에서 비롯되었다. 물론 아직도 대다수의 투자자들은 현금 흐름이 들어오는 투자가 제대로 된 투자이고, 전세 투자는 사실상 의미가 없다고 한다.

매달 월세가 들어오는 구조의 월세 투자와 달리 전세 투자는 아무 이득이 없기 때문에 그러한 생각을 하는 것도 무리는 아니니다.

하지만 화폐 가치는 물가 상승과 인플레이션으로 인해 하락할 수밖에 없다. 물가상승률을 4%라고 가정하면 현재 1억 원의 가치는 30년 후 2750만 원에 불과하기 때문이다.

과거 개발도상국 당시 높은 인플레이션과 높은 이자는 임대인에게 아파트를 투자하여 원금을 회수하고, 그 자금을 다시 이자로 놓는 두 마리 토끼를 잡는 투자를 한 셈이다.

이렇게 똑똑한 투자자의 전세제도가 아직까지 이어지고 있다.

부동산에 1억 원을 투자하여 전세 9000만 원을 놓는다면 실투자금은 1000만 원인 셈이지만, 물가 상승과 화폐 가치의 하락을 생각한다면 임대인은 1000만 원으로 무한대의 투자 효과를 누릴 수 있다.

매매 1억 원 – 전세 9000만 원 = 실투자금 1000만 원

전세 시세가 9000만 원에서 상승하여 1억 원이 된다면 임대인은 실투자금 1000만 원까지 모두 회수할 수 있다. 임대인은 무이자로 자금을 융통할 수 있는 것이다.

따라서 임대인은 모든 자금을 회수하고, 수년간 오르는 전셋값의 시세에 따라 여유 자금이 더 늘어나게 된다. 이것을 이용하여 예금이나 투자를 통해 더욱 자산을 늘릴 수 있다.

과거에는 고금리 시대라 임대인들의 자산 축척이 더 상당했다. 또한 물가 상승 폭이 매우 컸고, 금리 역시 높아 임대인은 전세 투자만으로 집값 상승 및 이자 수입으로 상상을 초월하는 투자수익률이 가능했다.

반대로 현재의 시장 상황은 지난 수년간의 수도권 아파트 시세 하락과 전세자금 대출이라는 상품이 생겨나면서 저금리를 바탕으로 월세보다 부담 없는 전세 수요가 더 풍부해졌고 바로 전셋값 상승으로

이어졌다.

이는 2008년 금융위기 이후 지속적인 하락으로 인한 실수요자의 내 집 마련의 두려움과 동시에 시세하락에 대한 두려움, 두 가지 요인이 작용하고 있는 것이다.

과연 과거와 달리 저금리 시대와 낮은 인플레이션인 상황에서 누가 승자가 될까?

IMF 이후 대한민국은 역사상 최저 금리이며 현재 기준금리는 1.75%이다. 전 세계적으로 금융위기 이후 수많은 화폐를 찍어냈다. 화폐를 많이 찍어낼수록 그 가치가 하락할 것이고, 대한민국 역시 피해갈 수 없는 부분이다.

반대로 실물 자산은 화폐 가치의 하락으로 인해 더욱 가치가 빛날 것이고, 철근, 시멘트, 샤시, 모래, 자갈 등 수많은 원자재 가격이 올라가면서 자연스럽게 아파트 가격이 상승하게 될 것이다.

결국 물가 상승이 아파트값 상승으로 이어지는 것이다.

우리가 매일 언론이나 기사를 통해 듣게 되는 가계부채 1000조 돌파 역시 물가 상승이 이루어지면 자연스레 가계 자산이 증가하여, 가계 부채 비율은 감소하게 될 것이다.

예를 들어 제과업체는 물가 상승으로 인해 1000원짜리 과자를 1500원에 판다면, 정부는 찍어낸 화폐를 50% 더 거두어들일 수 있고, 50%의 세금도 더 걷을 수 있는 것이다.

물가 상승과 화폐 가치의 하락에 따른 인플레이션 시대에서 임대인과 임차인 누가 승자가 될 것인가? 현명하게 생각해 볼 필요가 있다.

가난하다면 경매로 빌라에 투자하라

부동산 투자라 하면 대부분 사람들은 돈 많은 사람들이 하는 투자로 여기기 쉽다.

하지만 나는 반대로 생각한다. 가난한 사람들이 부동산에 투자해야 한다. 그리고 부동산 투자자 중에서도 열악한 자금력을 가진 가난한 투자자라면 빌라를 공략해야 한다.

연립주택의 경우도 빌라에 속하는데, 빌라의 단점인 하자 보수 역시 연립주택의 경우 대규모 단지인 경우가 많기 때문에 아파트와 동일하다.

아파트의 경우 KB 시세를 기준으로 대출이 가능하지만 연립주택, 빌라의 경우 DTI(금융 부채 상환 능력을 소득으로 따져서 대출 한도를 정하는 계산 비율) 적용을 받지 않고 시중 은행에서 70 ~ 90프로의 대출이 가능하다.

그중 연립주택은 훗날 매매하기도 편리하고 유지 보수가 잘 되기 때문에 충분히 공략할 만한 물건이다.

소액 투자가 가능한 연립주택을 공략하라

나는 경기도 김포시 통진읍에 위치한 연립주택을 낙찰 받았던 적이 있다. 이 지역은 생각 외로 아파트 공급이 없고, 임대가 잘 나가기 때문에 공실을 염려할 필요가 없었다. 또 200세대가 넘는 단지형 연립주택이기 때문에 훗날 매매 역시 수월한 편이다.

환금성 측면에서는 아파트-빌라-오피스텔-토지 순으로 매매가 활발하게 이루어지지만, 단지형 연립주택의 경우 아파트 못지않게 매매가 잘 된다.

> 낙찰가 8418만 원 - 대출금 7000만 원 + 보증금 1500만 원
> = 실투자금액 0원 + 등기 비용 300만 원

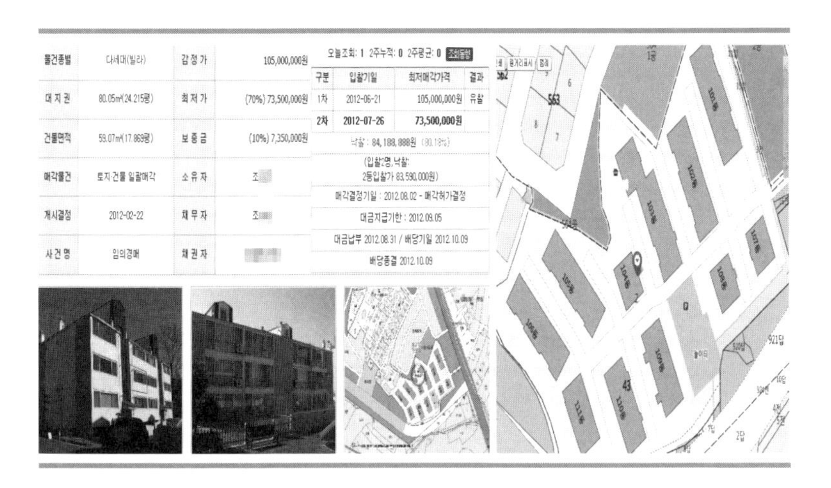

물건종별	다세대(빌라)	감정가	105,000,000원
대지권	80.05㎡(24.215평)	최저가	(70%) 73,500,000원
건물면적	59.07㎡(17.869평)	보증금	(10%) 7,350,000원
매각물건	토지·건물 일괄매각	소유자	조
개시결정	2012-02-22	채무자	조
사건명	임의경매	채권자	

오늘조회: 1 2주누적: 0 2주평균: 0 조회동향

구분	입찰기일	최저매각가격	결과
1차	2012-06-21	105,000,000원	유찰
2차	2012-07-26	73,500,000원	
낙찰 : 84,188,888원 (80.18%)			
(입찰2명,낙찰: 2등입찰가 83,590,000원)			
매각결정기일 : 2012.08.02 - 매각허가결정			
대금지급기한 : 2012.09.05			
대금납부 2012.08.31 / 배당기일 2012.10.09			
배당종결 2012.10.09			

등기 비용 300만 원으로 매달 대출 이자를 내고도, 15만 원씩 수익이 가능하다. 이는 300만 원에 대한 연간 이자가 180만 원인데, 결국 연 60%에 해당하는 이자율인 셈이다. 또 300만 원을 투자해 향후 매각 시 1000 ~ 2000만 원의 차익을 충분히 얻을 수 있다.

연립주택은 고층 아파트와 달리 대지권의 크기가 크다. 이 물건의 경우 대지권이 24평이었다.

우리가 생각하는 빌라의 단점인 하자 보수 및 유지 관리, 매매에 대한 두려움을 소액 연립주택 투자로 모두 극복할 수 있다.

소액 투자가 가능한 역세권 빌라를 공략하라

역세권 빌라의 경우 월세도 상당히 짭짤한 케이스가 많다. 한 가지 사례를 살펴보면,

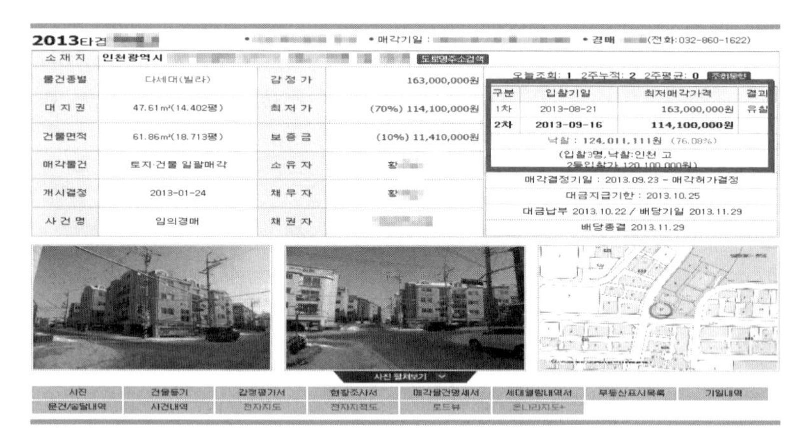
2013타경 • 매각기일 : • 경매 (전화:032-860-1622)

소재지	인천광역시		
물건종별	다세대(빌라)	감정가	163,000,000원
대지권	47.61㎡(14.402평)	최저가	(70%) 114,100,000원
건물면적	61.86㎡(18.713평)	보증금	(10%) 11,410,000원
매각물건	토지·건물 일괄매각	소유자	황
개시결정	2013-01-24	채무자	황
사건명	임의경매	채권자	

오늘조회: 1 2주누적: 2 2주평균: 0

구분	입찰기일	최저매각가격	결과
1차	2013-08-21	163,000,000원	유찰
2차	2013-09-16	114,100,000원	

낙찰 : 124,011,111원 (76.08%)

(입찰3명,낙찰:인천 고 2등입찰가 120,100,000원)

매각결정기일 : 2013.09.23 - 매각허가결정

대금지급기한 : 2013.10.25

대금납부 2013.10.22 / 배당기일 2013.11.29

배당종결 2013.11.29

인천 서구 검암동에 위치한 빌라를 1억 2400만 원에 낙찰 받아 1억 1100만 원의 대출을 실행하였다.

낙찰가 1억 2400만 원 – 대출금 1억 1100만 원
= 실투자비용 1300만 원 + 제반 비용 300만 원

이 지역의 경우 공항철도가 홍대, 신촌, 공덕역을 거쳐 가기 때문에 서울에 직장을 가진 직장인들의 임대 수요가 상당하고, 임대 역시 활발하게 잘 나가는 곳이다.

홍대, 신촌, 공덕 쪽에 이러한 수요가 몰리는 것은 지하철로 20분 거리에 위치해 매우 가깝고, 그쪽 지역에 월세를 얻는다면 원룸정도밖에 얻지 못하나 검암동에서는 방3 화장실 2 구조의 깨끗한 신축빌라를 똑같은 가격에 얻을 수 있으니 당연히 임대 수요가 많을 수밖에 없다.

위 물건의 경우 보증금 2000/55만 원의 시세가 형성되어 있다.

낙찰가 1억 2400만 원 – 대출금 1억 1100만 원 +
보증금 2000만 원 = + 400만 원

이처럼 최종 투자 후 돈이 남는 구조이고, 1억 1100만 원의 대출금리는 4.2%로, 매달 39만 원의 이자가 나간다. 2000/55만 원의 월세를 놓으면 결국 400만 원의 종잣돈과 매달 16만 원의 현금이 생기는

셈이다.

빌라로 돈 찍어내기

이런 방식으로 빌라를 10채 매입하면 어떻게 될까?

이자율 0%의 4000만 원의 종잣돈이 새롭게 생기고, 매달 160만 원의 현금 흐름이 생긴다.

빌라는 시세가 잘 오르지 않아서 안 한다고 하지만 아파트값이 상승하면 빌라도 당연히 상승할 것이고, 실투자금액이 한 푼도 없이 종잣돈을 만들 수 있는 빌라 투자는, 열악하지만 자본력 없는 가난한 투자자가 해야 할 투자 대상이다.

많은 사람들이 대출이 안 나올 수도 있고 이렇게 쉽게 가능할까, 하는 의문을 가질 것이다. 나는 그들에게 생전 정주영 회장님이 말씀하신 '해보기나 했어?'를 이야기해 주고 싶다.

누구나 빌라 투자를 할 수 있다. 그러나 수많은 발품과 여러 가지 과제들을 해결해야 남들보다 더 나은 결과를 맞이할 수 있다.

최근 부동산에서 1억 5000만 원에 팔면 어떻겠냐는 연락이 왔었다. 오히려 빌라를 취득하면서 돈이 유입되어 목돈이 400만 원이나 생겼고, 매달 16만 원, 매년 192만 원의 현금 흐름을 만들어내는 빌라를 팔아야 하나? 하는 생각이 들었다.

경매로 낙찰 받은 빌라 투자도 이렇듯 어느 정도 차익을 낼 수 있다. 단 실제 투자 금액이 없는 만큼 매매 차익이 적을 뿐이지, 가난한 투자자라면 빌라도 좋은 투자 대상인 것이다.

부동산투자는 발품이다

많은 사람들이 부자가 되길 원한다. 그러나 대부분의 사람들은 원하기만 하지 실제로 부자가 되려고 행동하거나 노력하지는 않는다.

부동산으로 부자가 되기 위한 조건을 살펴보면,

1. 경매 사이트를 자주 접속해서 물건을 최대한 많이 찾아본다.
2. 인터넷에서 부동산 매물 및 전국 지도를 자주 본다.
3. 발품을 팔아야 한다.

위와 같은 부자가 되기 위한 조건에서 하나라도 소홀히 한다면 부자가 되는 길은 멀어진다.

경매 사이트를 매일 접속하면 지역별로 공부를 할 수 있고, 낙찰가율을 분석하여 부동산 시장의 흐름을 쉽게 읽을 수 있다.

나는 전국의 지도를 아예 방 안에 붙여놓고 지냈고, 투자한 지역의 부동산 지도(실제 부동산에서 사용하는 지도)를 붙여놓고 매일 시간이 날 때마다 바라봤다.

마지막으로 발품이 가장 중요하다.

발품 없이 단지 투자한다고 전화로 해당 지역 부동산에 전화를 하여 투자를 한다면 최악의 투자를 하는 경우가 생길 수 있다.

어느 날, 알고 지내던 중개사에게 연락이 왔다.

"사장님, 급매 물건이 나왔어요. 층이 낮긴 한데 급매입니다."

"얼마나 낮길래요? 가격은 얼마인가요?"

"5400만 원인데 2층이에요. 층이 낮긴 하지만 해는 들어오긴 합니다."

순간 가격을 듣고 욕심이 났다.

"알겠습니다. 바로 계약하죠."

21평의 아파트가 5400만 원이면 횡재한 것이다. 나는 마음속으로 웃었다.

매매가 5400만 원 - 대출금 3700만 원 + 보증금1000/30만원
= 실투자금액 700만 원 + 제반 비용 200만 원

총 900만 원을 투자해서 이자 비용을 제외한 임대 수입이 1년에 160만 원이었다. 3년간 임대를 놓는다면 임대 수입으로 480만 원이 들어온다. 그럼 6년이 조금 지나면 나는 총투자금 900만 원을 회수할

수 있는 것이다.

2 ~ 3년이 지난 후 아파트 매매가가 최소한 7000만 원 정도로 올라가지 않을까 예측하고 투자했기에 더욱 기뻤다. 그리고 내 예상대로 현재 7000만 원 수준에 거래되고 있다.

그럼 매도를 가정하고 3년 후 임대 수입 500만 원과 시세 차익 1500만 원을 생각하면 당연히 기뻐할 수밖에 없었다.

900만 원을 은행에 예금하면 3년간 얼마의 이자를 줄까? 나는 3년 후 총 원금을 포함 세후 2900만 원의 금액을 가져가는 셈이다.

급매로 나온 물건인지라 현장 조사를 하기도 전에 계약금을 넣어야 했고, 결국 나는 별 생각 없이 계약금을 넣고 잔금까지 별탈없이 잘 마무리했다.

예상대로 얼마 후 직업군인이라는 임차인이 아파트에 입주했다. 그런데 입주 후 어느 날, 임차인에게 연락이 왔다.

"안녕하세요! 사장님. 관사로 들어가게 되서 이사를 가고 집을 내놓아야 할 거 같은데요?"

"아, 그러세요. 그럼 부동산에 내놓겠습니다."

나는 별 생각 없이 인근 부동산에 아파트 동호수를 알려주고 내놓았다.

임차인은 집을 내놓은 지 한 달 후에 이사를 갔다. 하지만 한 달 동안 집을 보여줘도 집이 나가질 않았다. 시간이 흘러 다시 두 달, 세 달 시간은 자꾸 흘러만 갔다.

이런 일은 흔한 경우가 아니었다. 대부분 통상적으로 한 달에서 두 달 이내 새로운 임차인을 구했는데, 이번 경우는 너무 이상했다.

임차인이 이사 갈 당시는 가을이었고 벌써 겨울이 되었다. 나는 이상한 마음에 직접 처음으로 소유한 아파트를 보기 위해 내려갔다.

그리고 깨달았다. 이런! 남향이 아니라 동향을 산 것이다.

분명 인터넷으로 볼 때 지적도에는 남향으로 되어 있었는데 그게 아니었다. 이처럼 지도에 잘못 표기된 경우도 많기 때문에 꼭 현장 답사가 필요하다.

층이 낮아도 해가 들긴 한다는 중개사 말 역시 아침에 1시간 정도만 잠깐 비추는 게 전부였다.

또 1층 우수관이 얼어붙으면서 2층 베란다까지 얼음이 꽁꽁 얼어 스케이트장이 되어 있었다. 이 역시 하루 종일 해가 들지 않는 것이 원인이 되어 발생하는 문제였다.

일단 임차인에게 연락을 했다.

"아, 사장님 계약 기간은 많이 남으셨는데 집이 안 나가서 매달 월세 내시느라 고생 많으시죠?"

"네, 그렇네요. 집이 안 나가서 저희도 부담되어 죽겠어요."

"음~ 사장님 생각해서 저는 그냥 매매하려고 합니다. 솔직히 거주하실 때 불편한 점 없으셨나요?"

"사실은요. 하루 종일 컴컴해서 불을 켜고 살아야 하고 추워서 아이들이 좋아하질 않았어요."

"알겠습니다. 그럼 빨리 매매를 진행해서 월세가 부담이 안 되도록 해드리죠."

결국 내가 생각한 대로 임차인 역시 살아본 결과, 주거환경이 사실상 좋지 않았다고 했다.

소형아파트라 매매 회전이 빠르고 현장답사와 발품을 팔지 않는 투자자가 많기 때문에 나는 손해 보지않는 수준에서 급매로 아파트를 빠르게 처분했다.

부동산 투자의 가장 핵심은 현지에 직접 가서 임장 활동과 발품을 팔아야 한다는 것이다. 이런 일이 있고 나서 투자를 할 때 현장 답사와 발품을 게을리하지 않았다.

하지만 최악의 투자는 또다시 다가왔다. 이번의 투자는 욕심에서 비롯됐다.

지인과 함께 낮에 바다를 보며 자연산회를 안주삼아 술을 퍼마셨다. 너무 퍼마셨는지 잠을 자다 새벽에 일어났다. 물을 한 잔 마시고 습관적으로 컴퓨터를 켜고 경매 사이트에서 물건을 찾아 보기 시작했다.

물건을 검색하던 중 30평대 아파트가 최저가 1억1400만 원에 나와 있는 것을 발견했다. 경기도 파주 지역이라는 점을 감안해도 사실상

이 정도 금액이면 너무 매력적이었다. 또 남향 로열층에 30평대라면 당연히 입찰을 해야 했다.

그런데 입찰 날짜가 바로 당일이었다. 눈앞에 욕심이 앞섰다. 현장 답사와 발품을 배제한 채 입찰에 들어가기로 결심하고, 인터넷을 통해 시세 조사를 하고 낙찰가 분석을 했다.

그렇게 밤을 꼬박 새고 고양지법에 도착했다. 사람들이 상당히 많았다. 아직도 취기가 남아 있어 어질어질했다.

얼마를 써넣을까. 1억 2000만 원의 낙찰 금액을 써놓고 마음속으로 이 정도 금액이라면 충분히 월세를 놓아도 수익률이 나올 것이라 여겼기에 별 생각 없이 기다렸다.

낙찰가 1억 2000만 원 – 대출금 9600만 원 +
보증금 2000/50만 원
= 실투자금액 400만 원 + 제반 비용 600만원

1000만 원을 투자하여 매년 250만 원의 임대 수입이 나오는 물건으로 계산했다…….

결과는 2등과 200만 원 차이로 낙찰 받을 수 있었다. 낙찰 영수증을 받기 위해 법정 앞으로 걸어 나가니 입찰한 사람들이 보증금을 받아가기 위해 줄을 서 있었다.

나는 같은 물건을 입찰한 사람들에게 물어보았다.

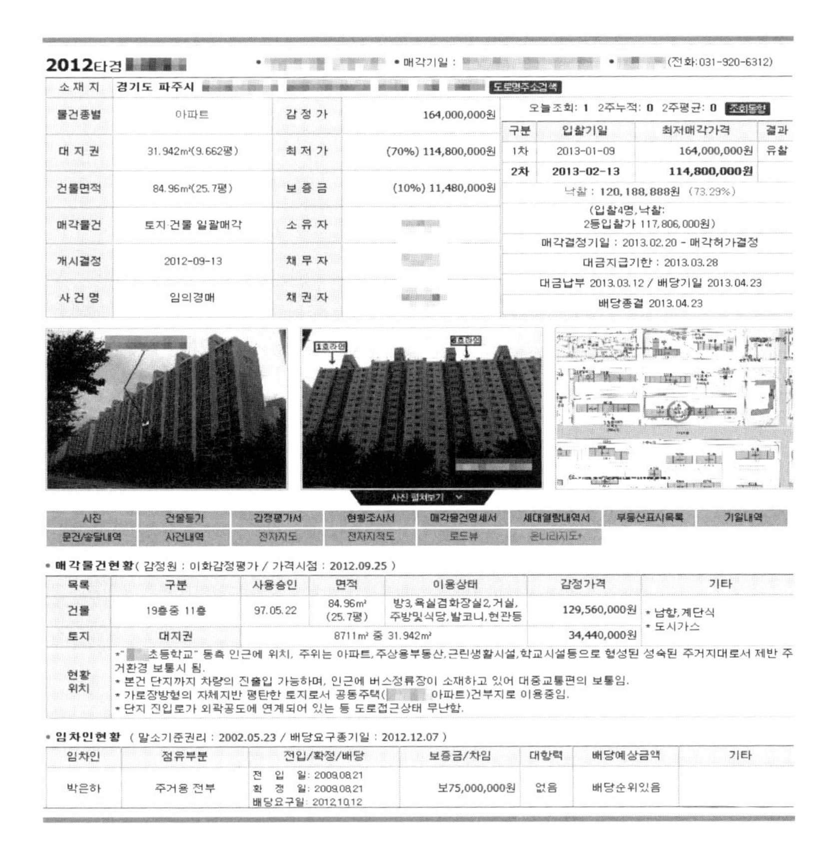

2012타경 • 매각기일 : • (전화:031-920-6312)

소재지	경기도 파주시 도로명주소검색		
물건종별	아파트	감정가	164,000,000원
대지권	31.942m²(9.662평)	최저가	(70%) 114,800,000원
건물면적	84.96m²(25.7평)	보증금	(10%) 11,480,000원
매각물건	토지·건물 일괄매각	소유자	
개시결정	2012-09-13	채무자	
사건명	임의경매	채권자	

오늘조회: 1 2주누적: 0 2주평균: 0 조회동향

구분	입찰기일	최저매각가격	결과
1차	2013-01-09	164,000,000원	유찰
2차	**2013-02-13**	**114,800,000원**	

낙찰 : 120,188,888원 (73.29%)
(입찰4명,낙찰:
2등입찰가 117,806,000원)
매각결정기일 : 2013.02.20 - 매각허가결정
대금지급기한 : 2013.03.28
대금납부 2013.03.12 / 배당기일 2013.04.23
배당종결 2013.04.23

사진 | 건물등기 | 감정평가서 | 현황조사서 | 매각물건명세서 | 세대열람내역서 | 부동산표시목록 | 기일내역
문건/송달내역 | 사건내역 | 전자지도 | 전자지적도 | 로드뷰 | 온나라지도+

• **매각물건현황**(감정원 : 이화감정평가 / 가격시점 : 2012.09.25)

목록	구분	사용승인	면적	이용상태	감정가격	기타
건물	19층중 11층	97.05.22	84.96m² (25.7평)	방3,욕실겸화장실2,거실, 주방및식당,발코니,현관등	129,560,000원	* 남향,계단식 * 도시가스
토지	대지권	8711m² 중 31.942m²			34,440,000원	
현황 위치	*" 초등학교" 동측 인근에 위치, 주위는 아파트,주상용부동산,근린생활시설,학교시설등으로 형성된 성숙된 주거지대로서 제반 주거환경 보통시 됨. * 본건 단지까지 차량의 진출입 가능하며, 인근에 버스정류장이 소재하고 있어 대중교통편의 보통임. * 가로장방형의 자체지반 평탄한 토지로서 공동주택(아파트)건부지로 이용중임. * 단지 진입로가 외곽공도에 연계되어 있는 등 도로접근상태 무난함.					

• **임차인현황** (말소기준권리 : 2002.05.23 / 배당요구종기일 : 2012.12.07)

임차인	점유부분	전입/확정/배당	보증금/차임	대항력	배당예상금액	기타
박은하	주거용 전부	전 입 일: 2009.08.21 확 정 일: 2009.08.21 배당요구일: 2012.10.12	보75,000,000원	없음	배당순위있음	

"혹시 사장님, 이 물건 직접 가 보셨나요?"

그렇게 물어보자 누군가 대답했다.

"이거 집 장난 아니게 개판이에요!"

"네? 어떻게 이 집이 개판인지 아세요? 직접 보셨어요?"

아직 술이 안 깨서 비틀거리며 물어보았다.

"진짜 그렇게 개판이에요?"

그러자 그 사람이 짜증나는 말투로 대답했다.

"내가 여기 살거든요. 근데 수리비가 최소 2000만 원 넘게 나올 거예요! 이제 큰일 나셨네요. 수리비 엄청 들어가는데 뭐 하러 경매로 이걸 낙찰 받아요~!"

"아~ 임차인이세요? 어차피 낙찰 받았으니 이따 연락처 좀 부탁드릴게요."

대화가 끝나고 집이 엉망이라는 이야기에 가슴이 쿵쿵거리며 뛰기 시작했다. 어차피 낙찰 받아 인테리어를 하는 건 기본이지만 직접 임차인에게 들으니 기분이 이상했다.

법원에서 나오니 임차인이 누군가와 열심히 전화통화를 하고 있었다.

"어쩌고 저쩌고 누가 낙찰 받았는데~ 아깝게 떨어졌네. 어떤 사람이 낙찰 받았는데 이사비나 듬뿍 달라고 하지 뭐~"

"저기요~ 아까 말씀하시던 것 좀 이야기해주세요."

"네?"

"아까 집이 엉망이라고 하셨는데 오늘 좀 볼 수 있을까요?"

"알겠어요. 그럼 이따 저녁에 오세요. 보시면 알겠지만 2000만 원은 기본으로 생각하셔야 되요."

나는 임차인의 이야기를 듣고 처음에 상당히 기분이 좋지 않았다. 그러나 2000만 원의 수리비가 필요한 아파트를 임차인이 낙찰 받으려 한다는 건 그 말이 분명 거짓이라 생각했다. 쓸데없이 시간을 버리면서 법원까지 와서 입찰하려는 건 분명 투자할 매력이 있다는 것이다.

일단 어제 새벽 인터넷으로 알아본 시세가 정확한지 부동산에 연락을 했다. 부동산에 연락하니 매매가는 1억 3000만 원 정도면 급매로 충분히 팔린다고 했다. 내 예상대로 급매로 처분한다고 해도 손해는 보지 않을 금액에 거래되고 있었다.

그날 당일 저녁에 낙찰 받은 아파트를 방문했다.

"안녕하세요. 집 좀 보러 왔습니다."

"오늘 안 오실 줄 알았는데 진짜 오셨네요?"

"네. 집이 수리할 게 많다고 해서 확인 좀 해보려고요."

집을 둘러보니 임차인 이야기대로 수리할 게 많았다. 하지만 임차인이 이야기한 2000만 원 수준의 인테리어가 아닌, 800만 원정도면 충분히 멋지게 수리할 수 있을 듯했다.

하지만 문제는 이게 아니었다.

네비게이션에 나오는 주소로 아파트를 찾아갈 때 1차선 도로로 입구에 들어왔는데 사실 비좁아 불편했다. 썩 마음에 들진 않았지만 그래도 지하 주차장이 있겠지, 라고 생각했는데 경비실에 물어보니 이 아파트는 지하 주차장이 없다고 했다.

만약 현장 조사를 통해 미리 알았다면 나는 절대로 입찰하지 않았을 것이다. 아파트에 지하 주차장이 없다면 항상 주차 문제로 신경을 써야 하니 당연히 아파트의 매매가에도 영향을 미치고, 아파트 입구를 들어오는 1차선의 도로 역시 상당히 마음에 거슬렸다.

물론 낙찰을 받아 수리를 하고 임대를 놓는다면 임대는 나가겠지만, 이보다 더 좋은 조건을 지닌 물건이 수두룩하기 때문에 낙찰을 받을 필요조차 없는 물건이었던 것이다.

낙찰 받은 아파트 평균 시세는 1억 5000만 원인데 내가 낙찰 받은 물건은 1억 2000만 원이라, 자금이 부족한 서민들이 넓은 평수에 살고 싶은 실수요는 충분히 있다고 판단했다.

아파트 근처 부동산에 들려 중개인에게 1억 3000만 원에 내놓았다.

가격이 충분히 매력 있는 범위라 내놓은 지 2일 만에 재빨리 계약이 이루어졌다.

다행히 며칠 후 약간의 조정 뒤 아파트 매매를 했다. 그러나 등기비용 그리고 임차인 이사비, 교통비, 수수료를 제외하면 남는 건 별로 없었다.

훗날 이야기지만 낙찰 받은 이 물건을 2년간 보유했다면 3000만 원의 수익을 얻었을 것이다. 하지만 현장 답사와 발품을 게을리한 아파트를 보유하고 싶은 생각이 없었다.

부동산 투자에서 가장 중요한 건 발품이라는 것을 새삼 또 한 번 느끼게 한 투자였다.

8만 원으로 부동산 간접투자하기

8만 원으로 수도권 및 전국 토지를 투자할 수 있다. 방법은 주식 투자이다.

주식 투자에 있어 워런 버핏의 스승인 벤자민 그레이엄의 저서 『현명한 투자자』는 가치투자자들의 교과서였다.

기업의 내재 가치가 헐값에 거래될 때 그러한 투자 방식으로 주식을 매입하여 기업의 가치가 일정 수준 이상 내재 가치에 도달하면 파는 투자 방식을 취했다.

주식 투자는 가치주, 자산주, 배당주 세 가지 개념의 투자를 할 수 있는 방법이 있다. 여기서 우리는 부동산을 잘 알기 때문에 우량한 자산주에 투자하여 부동산 가치가 매우 저평가된 기업에 투자하여 많은 수익을 얻을 수 있는 것이다.

저평가된 주식 투자 혹은 부동산 투자 역시 3년 이상 보유함으로써 단기 시황에 휩쓸리지 않고, 저평가된 가치가 반영되는 것을 기다리는 인내심이 필요하다.

상장기업 중에는 대한화섬이라는 자산주가 존재하고 향후 이러한 자산주의 가치 재평가가 이루어질 것임에 틀림없지만, 큰 자본이 없어 실전 투자가 어려운 투자자들은 이렇게 간접적으로 자산주를 매달 고정적으로 매입하면서, 주가 상승이 이루어지면 수익을 회수하여 그 자본을 가지고 실전 투자에 뛰어들면 좋을 것이다.

향후 상승은 100% 이루어질 것을 확신하지만, 단지 기다림과 인내가 필요하다.

그리고 투자하기 이전에 조사가 필요한데 대한화섬에 대해 한 번 살펴보기로 하자.

이 회사의 현재 주가는 69,200원이고 오늘자 시가총액은 918억 원이다.(시가총액이란 주식수의 총 합계를 낸 것을 의미한다고 생각하면 된다. 즉 918억 원이 있으면 대한화섬을 모두 살 수 있다.)

대한화섬이 보유하고 있는 태광관광개발의 지분율은 45%로 태광관광개발은 골프장을 운영하고 있다.

태광cc라는 용인에 위치한 36홀짜리 대형 골프장이 바로 태광관광개발 소유다. 태광cc의 토지 면적은 45만 평이고, 공시지가는 대략 2천 억 정도이다.

태광관광개발의 45%를 보유한 셈이니 대략 공시지가로 1천 억은 대한화섬의 몫이다.

현재 대한화섬의 자본총계는 4000억이다. 시가총액 918억짜리의 자본총계가 4000억이라면, 내일 당장 회사를 문 닫고 주주들에게 돌려준다면 4배에 가까운 돈을 돌려받을 수 있다.(기계 장치 및 기타 자산들의 평가를 100%으로 적용했을 경우이다. 물론 이들 자산을 100%으로 평가하는 경우는 없다.)

대한화섬은 우리가 잘 아는 롯데홈쇼핑 지분 7%를 보유 중인데 상장된 GS홈쇼핑이나 CJ오쇼핑과 비교한다면 최소 700억의 가치를 부여할 수 있다.

시가총액 918억짜리 회사가 700억짜리 주식이 있다?

여기서 끝이 아니다. 흥국생명보험의 지분 10%를 보유 중이고, 이 역시 700억의 가치가 있다. 티브로드라는 SO회사의 지분 역시 8%를 보유 중이고 이는 대략 300억 가치가 있다.

이밖에도 워낙 많은 주식을 보유 중이나 생략하기로 한다.

이것을 정리해 보면 다음과 같다.

롯데홈쇼핑 7% + 흥국생명보험 10% + 지역유선방송 SO 8%
= 총 1700억

보수적으로 태광cc의 매매가는 3000억 원으로 예상하고, 이중 45%의 가치만을 적용하면 총 1500억 원의 가치가 있다.

여기서 끝이 아니다. 울산, 대구, 경기도, 부산 등 전국에 토지를 보유 중이다. 울산공장 부지는 8만여 평이다.

부산 해운대 반여동의 공장 부지는 7만 평을 보유중인데 평당 얼마를 산정해야 할까? 300만 원 정도의 가치로 평가한다면 최소 2000억이 가능하다.

그렇다면 대한화섬의 순자산가치는 최소 5000억이다. 여기서 회계적으로 기계 장치 및 건물 가치는 0원으로 산정하고 계산한 값이다.

대한화섬은 명목상 화섬업체이나 현실에서는 부동산 및 투자 회사이다.

[자산항목 : 토지] (단위 : 백만원)

소재지	면적	기초장부 가액	당기증감		당기상각	기말장부 가 액	비 고 (공시지가)
			증가	감소			
경기	2,951.00㎡	316	-	-	-	316	1,281
울산	252,759.00㎡	30,060	-	-	-	30,060	55,607
대구	8,748.00㎡	2,668	-	-	-	2,668	4,929
부산	201,705.00㎡	62,430	-	-	-	62,430	101,444
합계	466,163.00㎡	95,474	-	-	-	95,474	163,261

시가총액 918억에 거래되는 기업의 순자산가치가 5000억이니 안전마진이 충분히 있으므로, 조금씩 적립식으로 주식 투자를 통하여 대한화섬 같은 자산주를 연구하고, 부동산 투자를 간접적으로 하는 것도 좋은 방법이다.

Chapter 6

경제적 자유와 **경매투자**에 관한 칼럼

경제적 자유와
경매투자에 관한 칼럼

자본주의 삶

우리는 자본주의에서 입시 - 취업 - 생계 - 은퇴에 대한 두려움을 지닌다. 인간은 이렇듯 돈에 대한 욕망을 가질 수밖에 없는 설계도를 지닌 셈이다.

돈의 노예가 되지 말고, 돈의 주인이 된다면 이러한 설계도에서 벗어날 수 있다. 돈에 주인이 되는 설계도를 가지게 된다면 삶을 변화시킬 수 있다.

길가에 버려진 만 원짜리 한 장과 장미꽃 한 송이가 있다면 무엇을 주울 것인가?

돈의 가치와 위력은 자본주의 삶에서 엄청나다.

우리가 인생을 살아가는 데 생기는 100가지 문제 중 98가지를 해결할 수 있고, 돈은 시간 가치와 교환할 수 있으며, 나는 그 시간 가치를 내 인생에 효율적으로 쓸 수 있다.

돈이 일하게 하고 경제적 자유를 얻어라

과거 양반과 노비의 존재는 자본주의의 발달로 사장과 직원의 관계로 변화됐다. 회사는 직원을 열심히 일하게 하기 위해 여러 가지 교육을 시키고, 복지를 지원한다.

한 가지 예로 21세기 품질혁신운동 6시그마 역시 이러한 교육에 속한다.

하루 종일 일만 하는 사람은 돈 벌 시간이 없다. 사장의 업무를 처리해주는 직원은 결국 매달 고정된 급여 이외엔 돈 벌 시간이 없는 것이다.

결국 인생은 유한한데 내 자신이 아닌 타인의 삶을 풍요롭게 해주기 위해 살아가게 된다.

회사의 급여는 경제적 자유를 얻기 위한 종잣돈으로 여기고, 투자 공부를 게을리해선 안 된다. 종잣돈을 만든다면 돈이 일하게 하기 위해서 수익성 부동산을 매입하여 원금과 일정한 금융 레버리지를 포함한다고 가정해 보자.

매달 임대료를 임차인이 내지 않으면 안정적인 현금 흐름이 가능할

구분 \ 종잣돈	1000만 원	3000만 원	6000만 원	1억 원
매달	20만 원	60만 원	120만 원	200만 원
1년	240만 원	720만 원	1440만 원	2400만 원

까? 하는 의문이 생길지도 모르겠다. 실제로 내 자신도 돈이 일하게 만들기 위한 과정 속에서 이러한 의문이 들었다.

하지만 직접 경험해 본다면 이런 일들은 매우 어렵지 않음을 알게 된다. 여러 가지 고난과 과제를 해결한다면 안정적인 현금 흐름이 충분히 가능하다.

임대를 놓는 방법에는 여러 가지 임대제도가 있다.

예를 들어 강원도 평창에는 시즌방이라는 임대제도가 있다. 1년 중 겨울 시즌에 2 ~ 3개월을 임대해주고 1년 치 임대료에 해당하는 월세를 한 번에 받는다. 반대로 나머지 봄, 여름, 가을은 나만의 펜션으로 사용할 수 있다.

또 우리나라에는 임대료를 한 번에 주는 사글세 제도의 임대 제도를 적용하는 지역도 있다. 매달 월세 50만 원씩 12개월의 임대료 600만 원을 한 번에 주는 제도이다.

돈이 일하게 만들고 경제적 자유를 얻는다면 남들보다 더 많은 생각들을 할 수 있다.

하루 빨리 경제적 자유를 얻기 위해 노력해야 한다. 우리의 삶은 유한하기 때문에…….

현금흐름 시스템은 중요하다

좋은 학교를 나와 좋은 직장에 취업하는 게 대부분 사람들의 삶의 목표이자 희망이다.

이러한 시스템 구조에서 갑작스러운 회사의 부도나 내 자신에게 발생하는 질병은 지속적인 현금 흐름을 만들수 없기 때문에, 우리 스스로 현금 흐름을 창출하는 시스템을 만드는 것이 매우 중요하다.

사람의 몸에 혈액순환이 잘 되어야 건강하듯이 현금 흐름 시스템은 혈액순환처럼 지속적 안정적으로 돈을 공급해주는 역할을 한다.

30대 A라는 사람은 명문대를 졸업해 S기업의 대기업 과장이며, 매달 500만 원의 급여를 받는다. 반대로 30대 B라는 사람은 보잘것없는 지방대를 졸업해 A기업의 중소기업에서 대리로 일하며, 매달 200만 원의 급여를 받는다.

30대 A가 당연히 스펙이 화려하고 급여도 높지만, 30대 B라는 사람은 부동산으로 매달 300만 원의 임대 수입이 들어온다면 누가 더 안정적인 삶을 영위할 수 있을까?

회사에서 실직한다면 A는 스스로 돈을 찍어낼 수 없지만, B는 매달 300만 원의 안정적인 현금 흐름이 발생하기 때문에 사실상 실직한다고 해도 생활에 큰 지장은 없을 것이다.

A와 B 둘 중 어떠한 시스템을 가지고 있는 사람이 안정적인 삶인가? 이렇듯 안정적인 현금 흐름은 만드는 것은 우리의 가장 중요한 핵심이자 목표이다.

임대 사업의 마음가짐

단순히 적당히 아파트를 매입해서 임대 사업을 할거라면 하지 않는 게 좋다.

나는 임차인과 계약서를 쓸 때 임차인을 만나지 않는다. 자본주의 구조상 임대인은 갑이기 때문에 임차인은 상당히 자존심이 상하고, 생각지 못한 이야기로 인해 오해를 가져 올 수도 있다. 제아무리 인상 좋은 주인이라 해도 눈앞에 있으면 기분이 좋을 수는 없다. 임차인에게 편지를 쓰고 케이크 같은 선물을 해주는 것도 그들의 자존심을 건드리는 일이다.

임차인은 갑이 아닌 을의 입장이기 때문에 항상 조심해서 접근해야 한다.

또 시간이 흘러서 월세가 오른다고 해도 가급적 올리지 말아야 한다. 월세를 올리면 그만큼 세입자도 힘들어질 것이고, 매달 현금 흐름에 차질이 생길 수 있다.

나는 항상 새 집처럼 만들어주고 입주를 할 수 있게 임차인을 배려

한다. 디지털 도어락은 기본이고 도배, 장판, 페인트, 스위치, 콘센트, 싱크대, 신발장, 보일러 등 세심하게 살펴야 한다. 여기서 단 하나라도 빠지면 남들보다 좋은 시세를 받을 수도 없고, 유리한 보증금 및 조건을 내걸 수도 없다.

이렇게 한다면 혹여나 나중에 팔 때도 다른 물건과 경쟁도 안 되게 쉽게 팔릴 것이고, 임대를 놓는다고 해도 다른 경쟁 물건과 경쟁할 필요도 없다.

또 임차인에게 돈이 아까워서 안 해준다는 인식을 남기면 안 된다.

그러면 임차인은 알아서 깨끗한 환경에서 집을 사용하게 되고, 매달 월세를 연체하지 않을 것이다.

임대 사업은 봉사하는 마음으로 해야지, 무조건 월세를 받기 위해 대충 수리하고 임대 사업을 할 것이라면 처음부터 현금 흐름을 만드는 일은 포기하는 것이 낫다.

우리는 현금 흐름을 만들기 위해 이렇게 올바른 마음가짐과 수고를 해야 한다.

경매공부는 필수다

경매로 낙찰을 받는다면 낙찰 받는 순간, 이미 수익은 결정이 난다.

경매는 매매가 대비 항상 10 ~ 20% 안팎의 낮은 가격에서 대부분 낙찰이 결정된다. 이렇게 부동산 시장의 급매 가격보다 10 ~ 20% 안팎의 낮은 가격으로 낙찰을 받으면 안전 마진도 충분히 가져갈 수 있고, 난기 투자 및 장기 투자 모두 유리한 조건으로 가져갈 수 있다.

경매는 낙찰 후 대부분 소멸 기준 권리보다 우선하는 권리 외는 모두가 말소되기 때문에 사실상 깨끗한 물건으로 재탄생한다.

일반 부동산에서 매입하면 그 물건에 얽힌 모든 권리 관계를 고스란히 떠안는 경우가 있지만, 경매는 복잡한 권리들이 모두 소멸되는 물건이 80% 이상이다.

또한 일반 매매와 달리 경매는 금융회사에서 10%이상 담보가치의 대출을 더 실행해주기 때문에 투자의 레버리지 효과까지 얻을 수 있다.

그리고 가장 잘 아는 분야만 골라서 투자할 수 있다. 경매는 대상 물건이 다양하고 풍부하다. 아파트, 주택, 상가, 공장, 임야, 농지 등 다양한 물건이 새롭게 경매로 나온다. 따라서 자기 자신이 제일 잘 알고 자신 있는 분야를 골라 투자할 수 있기 때문에 얼마든지 수익을 창출할 수 있다.

경매투자는 어렵지 않다

2000만 원의 자금이 있다면 1억 1000 ~ 1억2000만 원에 거래되는 부동산을 1억 원에 낙찰 받을 수 있다.

낙찰가 1억 원 - 대출금 8000만 원 = 2000만 원

1억 원에 낙찰을 받아 8000만 원의 대출을 실행한다면 2000만 원의 자금으로 소유권 이전을 하고 부동산 시장에 내놓는다고 해도, 2000만 원의 자금으로 최소 세후 1000만 원의 수익을 얻을 수도 있다.

예를 들어 1억 원에 낙찰 받은 아파트가 보증금 2000/50만 원 수준의 월세를 받을 수 있다면, 투자자금이 크게 필요하지 않기 때문에 오랜 기간 보유하며 월세를 받을 수도 있다.

1억 원 - 대출금 8000만 원 + 보증금 2000만 원
= 실투자금액 0원 + 등기 비용 300만 원

대출 8000만 원에 해당하는 이자율이 4%라고 가정하면, 매달 50만 원의 월세에서 27만 원의 이자를 내고 23만 원의 임대수익을 얻을 수 있다.

300만 원을 투자해서 매달 23만 원의 임대 수익을 얻는다면 연간 276만 원, 5년간 1380만 원, 10년간 2760만 원의 임대 수익이 생긴다.

300만 원의 투자로 2760만 원의 임대 수익과 2000만 원의 시세 차

익까지 생각할 수도 있을 것이다.

300만 원 투자 = 10년간 임대 수입 2760만 원 +
시세 차익 2000만 원 = 총 4760만 원

또 시세차익을 생각하지 않고 단순히 임대 수익만 고려해도 좋은 것이다.

현재 시중 은행에 예금을 한다면 300만 원을 투자한사람은 2%의 이자 수익을 얻을 수 있다. 반대로 300만 원을 투자해서 경매로 낙찰을 받아 투자한 사람은 92%의 이자 수익을 얻을 수 있다.

대부업체의 이자율이 60%라고 언론에서 이야기하는데 92%의 이자율은 어떠한가?

부동산에서 매매로 부동산을 구입하는 것은 편의점에서 물건을 사는 것이고, 경매로 부동산을 매입하는 것은 할인점에서 물건을 사는 것으로 생각해도 좋다. 1년에 1건을 낙찰 받아도 직장인 연봉 수준의 수익을 올릴 수 있는 곳이다.

많은 사람들은 경매가 매우 어렵고 위험하며 돈을 잃을 수도 있다고 생각한다. 그러나 시간을 가지고 여러 경매 서적 및 강의를 듣고 준비한다면 어렵고 돈을 잃을지도 모른다는 생각은 없어질 것이다.

단지 많은 사람들이 준비 과정에 소홀하고 너무 빠르게 돈을 벌고 싶어 하는 욕심이 앞서 이런 말들을 하는 것이다.

경매 사이트에는 매달 수천 건 이상의 물건이 쏟아지고 매일매일 투자 기회는 존재한다.

잘 아는 지역부터 투자를 시작해 보자. 처음 시작하는 투자자에게 본인이 제일 잘 아는 지역은 접근성과 투자하기가 좋다. 시세 조사에도 유리하기 때문에 과거 살았던 지역부터 현재 살고 있는 지역까지로 한정하여 처음 투자를 시작하는 것이 좋다.

단지 욕심 때문에 모르는 지역에 투자하려고 한다면 좋은 결과를 올릴 수 없다.

또한 잘 아는 주종목을 결정해야 한다.

부동산 투자에는 아파트, 빌라, 오피스텔, 다가구주택, 토지, 임야 등 여러 가지 자신에 상황에 맞는 물건들이 있을 것이다.

나의 주종목은 오로지 고층 아파트이다. 유행처럼 인기가 변하겠지만 잘 모르는 것에 투자한다면 소득은 신통치 않다. 오히려 내가 잘 아는 주종목에 투자하는 게 미래 가치가 있고, 남들보다 뛰어난 전략을 펼칠 수 있는 방법이다. 경매 공부를 하려면 Daum 카페 '행복재테크'를 자신있게 추천한다.

경매 입찰은 미리 준비해라

경매에 매각 물건이 나오면 입찰까지 대략 1 ~ 2개월의 시간적 여유가 있다.

경매에 입찰하기 전에 구체적인 자금 계획을 올바르게 세워 사전에 미리 계획한다. 입찰하려는 물건의 수익률 조사 및 향후 매도 계획을 생각해야 한다..

입찰 전 건물 및 토지등기부등본을 반드시 열람하고 감정가의 시세가 적절하게 반영되어 있는지, 주변 중개업소의 시세를 파악하여 직접 확인하는 것이 좋다.

입찰 당일, 전날 미리 입찰 보증금 및 기일입찰표를 준비하여 사전에 실수가 없도록 확인하고, 당일 여유 있게 입찰할 수 있도록 준비한다.

명도는 심리게임이다

대부분 경매를 하는 사람들은 명도가 어렵다고 한다. 실제로 낙찰을 받아서 가장 먼저 해결해야 할 과제가 명도이다. 명도가 쉽게 이루어지지 않으면 이자 비용 및 불필요한 비용의 지출이 지속되고, 그로 인해 다음 투자 기회를 놓칠 수도 있다.

상대방의 심리를 파악하지 못하면 주도권 경쟁에서 밀려 마음고생과 더불어 시간적, 금전적 손해를 볼 가능성이 높다.

경험이 없는 사람들은 조바심에서 쉬운 명도 과정을 험난한 명도

과정으로 변화시킨다.

먼저 낙찰을 받으면 대부분 곧바로 해당 물건지의 주소로 찾아가든가, 사건을 열람하여 연락처를 알아내서 연락을 할 것이다.

점유자는 낙찰이 되어 곧바로 찾아온 낙찰자에게 대부분 언제까지 이사를 하고, 이사비를 줄 것이니 내 요구에 응하라는 식의 대화를 한다. 만약 대화가 안 되면 내용증명을 발송하고 인도명령을 준비한다고 이야기하기도 한다.

이러한 대화 방식은 10번의 명도 중 절반 이상 점유자와 감정 마찰을 일으키기 쉽다.

또 먼저 흥분하거나, 어리석게 연락을 자주한다면 쉬운 명도의 길은 멀어져간다.

명도에 있어 나는 이제 이렇게 대응하지 않는다. 오랜 기간 명도를 하면서 겪어보고, 내가 아는 지인에게 조언을 받아도 항상 명도의 답은 같다.

가장 현명한 방법은 그냥 가만히 기다리는 것이다. 이제 낙찰을 받으면 2 ~ 3주 정도는 연락조차 하질 않는다. 빨리 명도를 해결하고 싶은 마음을 꾹 참고 또 참으며 인내해야 한다. 절대로 먼저 흥분하거나 어리석게 자주 연락하면 안 된다.

그럼 상대방은 궁금해서 심리적으로 참지 못한다. 분명 낙찰을 받았는데 왜 연락이 없지? 라는 생각과 집을 비워줘야 한다는 두려움에 오히려 낙찰자를 기다리게 된다.

낙찰을 받고 나서 바로 인도명령 신청을 하고 인도명령 결정이 이루어지면 그때부터 점유자와 대화를 시도한다. 궁금해서 기다린 점유자는 인도명령 결정이란 무기를 들고 대화를 하는 나에게 유리한 조건을 내세울 수 없다.

기다림에 익숙지 않아 흥분을 내세워서 감정적으로 해결한다면 명도는 쉽지 않다. 그러나 기다리는 일에 익숙하고, 자기 감정을 절제한다면 명도는 어렵지 않다.

우리 사회는 너무 빨리빨리를 요구하기 때문에 사람들의 성격 역시 너무 빠르게 모든 것을 해결하려 든다. 그것이 오히려 악영향을 미치는 것이다. 조급증을 버려야 명도를 잘할 수 있다.

Chapter

역발상으로 기회를 만들어라

역발상으로
기회를 만들어라

경기침체의 공포가 준 기회

2008년 미국의 금융위기 이후 당시 수도권 분양이 이루어졌던 아파트들이 2012년 하나둘씩 입주가 시작하면서, 상당한 공급 물량과 동시에 침체된 부동산의 하락을 가속화시켰다.

2012년 수도권 대부분이 그런 시기였고, 영종도에 위치한 하늘도시 역시 부동산 거품의 환상에 수많은 사람들이 청약하였다가, 하루하루 불안한 나날들을 보내고 있을 때였다.

하늘도시 입주 전 그 누구도 두려움과 공포에 질려 매수하지 않았다. 나는 하늘도시가 아닌 구도심의 아파트를 관심있게 보았다.

나는 어느 날, 부동산에 들러 시세 조사를 했다. 24평에 방 3 화장실

2, 대지권이 30평에 가까운 아파트가 1억 2000만 원대에 불과했다. 대지권의 값이 최소한 7000만 원인데, 그럼 건축물의 값이 불과 200만 원밖에 되질 않는 것이다.

앞으로 9천 세대 하늘도시의 공급으로 인해 기존 구도심의 6천 세대가 엄청난 혼란에 휩싸이게 될 거란 게 불 보듯 뻔하게 보였다.

섬이란 배타적인 곳에서 신규로 9천 세대의 입주 물량이 쏟아지면 부동산 침체기에서 더 심한 하락이 올 것이 뻔했다. 또 구도심에서 신규 아파트로 이사를 가기 위한 사람들의 물량 역시 소화되기 어려운 상태였다.

사람들은 이러한 물량 폭탄을 걱정했고, 스스로 똑똑하다고 생각하는 사람들의 매물이 늘어갔다. 10년간 팔지 않고 보유하고 있던 강남의 임대사업자의 물건도 매물로 나와 있었다.

역발상으로 투자하다

나는 여러 번의 장고를 한 끝에 소형 평수인 24평은 큰 데미지가 없을 것으로 판단하고 매매를 하기로 했다.

나는 새로운 아파트 입주로 구도심 아파트 시세의 폭락을 예상한 똑똑한 투자자들 대부분이 보유한 물건을 매입했다.

1억 2000만 원대에 매입해서 은행 대출을 얻고 전세 및 월세로 임차인을 놓으며 2000만 원 정도 투자했다.

전월세가 끝난 후 불과 한 달 후부터 입주가 시작됐다. 매매로 매입한 아파트의 월세를 1000/60에 임대를 놓았는데 하늘도시 영향으로 500/30까지 하락했고, 하늘도시 역시 30평형대가 500/30부터 임대가 시작됐다.

기존 구도심의 24평의 전세가 역시 1억 2000만 원에서 7000만 원으로 수직 하락했다. 하늘도시는 4000만 원부터 전세 가격이 시작됐다. 매매가 역시 하락하기 시작하여 1억 1000만 원까지 하락했다.

언론에서는 '불 꺼진 유령도시! 대책이 없다.'라는 기사와 방송이 보도되었다.

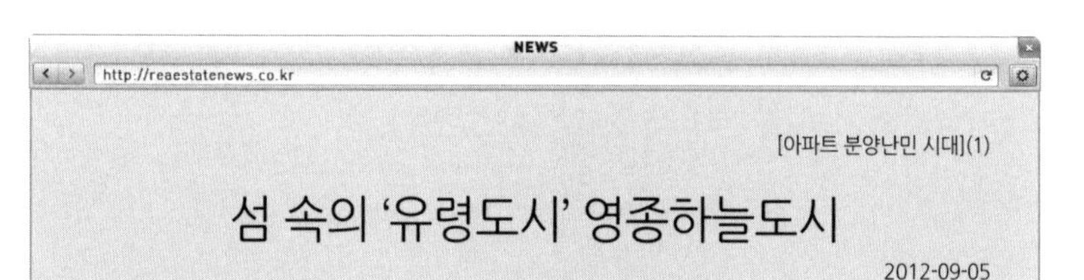
NEWS

http://reaestatenews.co.kr

[아파트 분양난민 시대](1)

섬 속의 '유령도시' 영종하늘도시

2012-09-05

한 부동산 중개업소 관계자는 "올해 말까지 영종하늘도시에는 1만 가구 정도가 입주해야 하지만 LH의 임대아파트를 제외한 일반 분양자는 입주할 사람이 전체의 10%도 안 될 것"이라며 "당분간은 거주민이 없는 '유령 신도시'가 될 가능성이 높다"고 말했다. 그는 "아파트 분양가보다 10 ~ 20% 싸게 매물이 나와도 찾는 사람이 없어 사실상 '전체가 매물'"이라며 "전세도 20평형은 5000만 ~ 7000만 원, 30평형은 6000만 ~ 8000만 원 정도의 헐값에 나와 있다"고 말했다. 실제 영종하늘도시 인근 GS 영종자이는 1022가구가 분양됐지만 500여 가구가 계약금을 포기하고 입주를 하지 않고 있다.

이 아파트는 법원에 의해 공매 처분돼도 낙찰률이 55 ~ 60%에 불과한 실정이다. 금호 어울림 아파트도 비슷한 상황이다. 이들 아파트는 분양가보다 최고 20 ~ 30% 할인된 값에 나와 있지만 수년째 빈 곳이 수두룩하다.

(인천 | 박준철 기자 terryus@kyunghyang.com)

NEWS

http://reaestatenews.co.kr

인천 영종하늘도시 추락 어디까지… 허허벌판에 아파트 달랑… 하늘만 본다

2012. 12. 10

입주율을 보면 불안감은 더 커진다. 9월부터 시작된 A건설사(1360가구) 아파트 입주율은 고작 2%(33명)에 불과하다. 바로 옆, 대형 B건설사가 지은 아파트도 사정은 마찬가지. 20 ~ 30평 중소형 아파트는 사정이 낫다고 하지만 입주율이 30%를 넘지 못한다. 인천경제자유구역청에 따르면 지난 7월부터 입주가 시작된 영종하늘도시 6개 단지 7859가구 중 880가구만 입주해 입주율이 11%(11월 6일 기준)에 불과하다.

영종하늘도시 입주자의 대부분은 분양자보다 전월세 입주자들이다. 20평형 전세는 5000만 ~ 7000만 원, 30평형은 6000만 ~ 8000만 원에 거래된다. 저층은 없고 모두 바다가 보이는 조망권 매물이다. 입주자의 절반 이상은 공항신도시 등에서 이사 온 사람들이라는 게 부동산 관계자의 말이다.

(김범진 기자 loyalkim@mk.co.kr)

내게 물건을 중개해 준 부동산 중개인과 매도인들은 아마 그 당시 콧노래 부르면 좋아라 노래를 불렀을 것이다.

부동산 중개인은 수수료 수입이 목적이었고, 매도인들은 전세가 하락과 동시에 매매가 하락이 이어질 것이 뻔히 보이는데도 바보같은 내가 매입했기 때문이다.

그러나 나는 밤새 분석 후 수도권 공급이 부족해지는 2014년이면 시세가 다시 제자리로 돌아올 것으로 예상하고 매입했기 때문에 마음이 편안했다.

예상대로 나에게 희망을 주기 위해 멀리서 이주해오는 전입자들이 엄청났다. 값비싼 전셋값에 못 이겨 구리, 남양주, 일산, 계양구를 비롯하여 수많은 지역에서 몰려들었다.

신기하게 하나둘씩 물량이 소진되면서 2년 후 결국 전세 가격은 4000만 원에서 1억으로 상승했다. 2012년 매입했던 아파트들을 만 2년이 정확히 지난시점 투자자금 대비 100%의 매매 차익을 얻고, 지인들의 물건을 포함해서 일부를 정리했다.

미래가치를 본다면 분명히 더 오를 것이지만 투자했던 자금을 회수하여 새로운 투자를 하는 것이 더 좋은 수익률을 얻을 수 있으리라는 판단 때문이다.

2년이 지난 언론 및 뉴스는 이제 영종도를 대박의 도시로 변화시켰다. 대중의 심리가 비관적일 때 긍정적으로, 반대로 대중이 심리가 긍정적일 때 비관적으로 보는 시각이 필요하다.

대부분의 사람들은 본질 가치를 투자하여 연구하지 않고, 또 무리

영종도부동산 투자하면 대박? 파이낸셜뉴스 | 2014.10.03 (금) 오전 10:31

투자자들이 **영종도**로 눈길을 돌리고 있다. 기존 하늘**도시** 거주자는 이제 사람사는 동네같다며 미소를 띠웠다. 이제는 **유령도시**가 아닌 라스베가스의 네온사인을 영종하늘하**도시**에서 볼 날이 멀지 않은 듯 하다....

네이버에서 보기 | 관련기사 보기 | 이 언론사 내 검색

영종도, 정부 정책발표•개발호재 덕분에 활기 한라비발디도 들썩

한국경제TV | 2014.09.13 (토) 오전 9:03

이 중 3개가 몰려 있는 곳이 **영종도**이고 배후 주거지로는 영종하늘**도시**가 꼽힌다. 때문에 투자와 주거를... 그동안 '**유령도시**'라는 오명까지 붙으면서 벙어리 냉가슴을 앓았던 터였기 때문이다. 영종 A아파트에 살고...

네이버에서 보기 | 관련기사 보기 | 이 언론사 내 검색

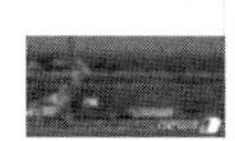

한가위 내 고향, 눈여겨볼 부동산 이슈는 뉴스1 | 2014.09.06 (토) 오전 10:00

과거 기반시설이 부족하고 아파트 입주율이 저조해 **유령도시**라는 오명이 붙었지만 카지노, 리조트들이 속속 착공에 들어가면 **영종도**에 위치한 아파트 가격들도 본격적으로 반등할 것으로 보인다. 정부가...

네이버에서 보기 | 관련기사 보기 | 이 언론사 내 검색

[SPECIAL REPORT 1] 리조트 효과로 '국제**도시**' 자존심 회복 인천경제자유구역...

매경이코노미 | 2014.09.01 (월) 오전 9:38

정부가 지난 3월 **영종도** 미단시티 내에 외국인 카지노 설립을 허가한 데 이어 최근 대형 복합리조트 개발... 한때 기반시설이 없어 '**유령도시**'라는 오명이 붙었지만 카지노, 리조트들이 속속 착공에 들어가면...

네이버에서 보기 | 관련기사 보기 | 이 언론사 내 검색

'영종·송도·청라' 인천 서부권역이 들썩인다 이데일리 | 2014.08.21 (목) 오전 7:01

- '**유령도시**' '미분양 무덤' 오명 벗어 - 경제자유구역·복합리조트 개발 등 수혜 - 아파트 미분양 줄고..... A씨는 "정부의 경제자유구역 규제 완화와 **영종도** 복합리조트 개발 등으로 집값이 더 오를 것으로 판단했다"...

네이버에서 보기 | 관련기사 보기 | 이 언론사 내 검색

미분양 비상 **영종도**, 호재 달고 '비상(飛上)' 한국경제 | 2014.08.17 (일) 오후 1:45

이 중 3개가 몰려 있는 곳이 **영종도**이고 배후 주거지로는 영종하늘**도시**가 꼽힌다. 때문에 투자와 주거를... 그동안 '**유령도시**'라는 오명까지 붙으면서 벙어리 냉가슴을 앓았던 터였기 때문이다. 영종 A아파트에 살고...

네이버에서 보기 | 관련기사 보기 | 이 언론사 내 검색

짓는 습성이 있어 투자가 아닌 투기로 변질될 때 대부분 투자하기 때문이다.

유령도시에 투자하다

하늘도시 입주 후 영종도

부동산은 하락세가 계속 이어졌고, 수도권 부동산 시장 역시 계속 꽁

꽁 얼어붙었다.

그러나 이 당시 나는 무척 바쁘게 생활했다. 매일 수도권 시장의 흐름 및 향후 공급 물량, 입주 물량을 살펴보았다.

2014년부터는 공급과 입주 물량이 줄어드는 것을 여러 가지 자료를 통해 확인했고, 앞으로 1 ~ 2년 후 시장의 급반전이 있을 거라는 확신이 들었다.

그러나 내 확신과 달리 2013년 초부터 지속적으로 수도권 부동산 시장은 하락세를 지속했고, 하반기 들어 조금 살아나는 듯 보였다.

나는 거주 지역에서 쉽게 분석할 수 있고, 시세 파악이 가능한 물건을 선택해 입찰하기로 했다. 항상 투자는 내가 제일 잘 아는 것에 투자해야 수익을 낼 수 있다.

대형마트, 약국, 빵집에서 일하는 사람은 무엇이 잘 팔리는지 알기 때문에 그 정보로 그 회사 주식에 투자하면 되고, 부동산에 투자하기 위해서는 내가 사는 동네를 기준으로 시작하는 것이 리스크를 감소하는 제일 좋은 방법 중 하나다.

입찰 전 부동산에 들러 시세를 물어보았다.

"이번에 경매로 입찰할 생각인데 이 물건 낙찰 받으면 얼마 정도에 급매로 팔아주실 수 있죠?"

"음~ 시세가 떨어져서 2억 원이면 그래도 당장 팔아드릴 수 있을 거 같네요."

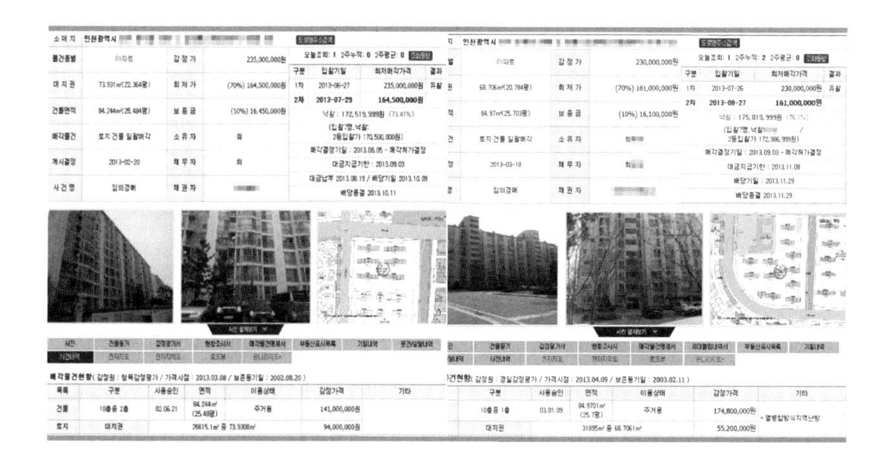

부동산에 들러 입찰 전 항상 급매를 기준으로 입찰가격을 산정하는 게 중요하다.

당시 전세 시세는 1억 6000만 원이었는데 시간이 흐르면 1억 7000만 원까지 오를 듯 보였다. 통상적으로 낙찰에서 명도까지 3달 정도의 시간이 필요하기 때문에 1억 7000만 원 정도의 입찰가라면 충분히 매력적인 투자로 생각되었다.

입찰 당일 법원에 가니 사람들이 많지 않았다.

결과적으로 총 7명이 입찰하여 낙찰을 받았다. 2등과는 200만 원 차이로 낙찰을 받았는데 7명 중 나와 진검 승부를 벌인 사람은 2등밖에 없는 듯했다.

대부분 입찰자들이 최저가 입찰 금액을 대충 써내서 싸게 낙찰되면 좋고, 라는 생각으로 결과를 기다린다. 시세 조사를 충분히 하고 단기매매 및 장기 투자의 수익률 계산을 확실히 한다면 불과 수백만 원 차이는 별 의미가 없는 금액이나 마찬가지이다.

항상 입찰할 물건에 대한 믿음과 확신을 갖고, 조연 배우가 아닌 주연 배우가 되는 게 좋다.

경매는 전세가와 동일한 낙찰 금액에 낙찰을 받으면 큰 자금이 필요 없이 투자를 할 수 있고, 시세의 상승 곡선을 타게 되면 매매 차익을 얻을 수 있는 것은 물론이고, 전세 가격 상승으로 투자 자금을 늘릴수도 있다.

이러한 맥락에서 당시 전세 가격 수준에 근접한 낙찰가로 낙찰 받은 것이다.

이렇게 한 달 간격으로 또 동일한 아파트를 낙찰 받아 1억 7천500만 원에 전세를 놓았다.

낙찰가 1억 7500만 원 – 전세 1억 7500만 원
= 실투자금액 0원 + 제반 비용 400만 원

불과 4백만 원으로 30평대 아파트를 소유할 수 있는 전세제도는 이 세상에 대한민국뿐이다.

세계 경제 및 부동산시장의 공급 과잉 및 심리 악화로 가격이 하락하면서 더 이상의 공급이 없다면, 전세 가격은 향후 하락보단 상승할 가능성이 높고, 과거부터 지속적으로 전세 가격은 상승해 왔다.

만약 주식 투자를 했다면 몇백만 원으로 몇억 원의 수익을 올리기

거래	확인일자	매물명	면적(㎡)	동	층	매물가(만원)	연락처
매매	확인매물 14.08.18	영종금호베스트빌2단지 전체 확장 앞이 확트여 시원한 조망 급매	103/84	202동	3/10	**27,500** 부동산뱅크	LBA금호공인중.. 032-752-1717
매매	확인매물 14.08.22	영종금호베스트빌2단지 상태좋음 입주가능	103/84	207동	고/10	**28,800** 부동산뱅크	부동산플러스.. 032-752-0011
매매	확인매물 14.08.16	영종금호베스트빌2단지 앞 뒤 트인 좋고 깨끗한, 위치또한 아주편...	103/84	203동	고/10	**29,000** 부동산뱅크	LBA금호공인중.. 032-752-1717
매매	확인매물 14.08.16	영종금호베스트빌2단지 여러가지로 입지조건이 좋으며 북쪽전망...	103/84	201동	고/9	**28,500** 부동산뱅크	LBA금호공인중.. 032-752-1717
매매	확인매물 14.08.12	영종금호베스트빌2단지 입주가능	103/84	201동	고/9	**28,500** 부동산뱅크	부동산플러스.. 032-752-0011
매매	확인매물 14.08.12	영종금호베스트빌2단지 공실	103/84	203동	중/10	**28,000** 부동산뱅크	부동산플러스.. 032-752-0011

한국공인중개사협회매물 ? 　　　　등록일순 · 면적순 · 가격순

거래	등록일	매물명	면적(㎡)	동	층	매물가(만원)	연락처
매매	14.08.06	영종금호베스트빌2단지	103/84	203동	중/10	**29,000**	파크빌공인중.. 032-746-4989
매매	14.08.05	영종금호베스트빌2단지	103/84	208동	6/10	**30,000**	신공항공인중.. 032-752-0070
매매	14.08.04	영종금호베스트빌2단지	103/84	202동	고/10	**29,500**	중산온누리공.. 032-751-3300
매매	14.07.29	영종금호베스트빌2단지	103/84	208동	1/10	**25,000**	신공항공인중.. 032-752-0070

쉬웠을까?

2건의 낙찰로 시세 차익이 2억 정도 만들어졌다.

소재지	인천광역시		
물건종별	다세대(빌라)	감정가	210,000,000원
대지권	175.44㎡(53.071평)	최저가	(49%) 102,900,000원
건물면적	84.632㎡(25.601평)	보증금	(10%) 10,290,000원
매각물건	토지·건물 일괄매각	소유자	이
개시결정	2012-08-01	채무자	이
사건명	임의경매	채권자	
관련사건	2012타경		

오늘조회: 1 2주누적: 1 2주평균: 0

구분	입찰기일	최저매각가격	결과
1차	2013-01-14	210,000,000원	유찰
2차	2013-02-07	147,000,000원	유찰
3차	**2013-03-13**	**102,900,000원**	

낙찰 : 142,666,666원 (67.94%)
(입찰9명, 낙찰: /
2등입찰가 136,999,000원)
매각결정기일 : 2013.03.20 - 매각허가결정
대금지급기한 : 2013.04.19
대금납부 2013.04.19 / 배당기일 2013.05.29
배당종결 2013.05.29

사진 | 건물등기 | 감정평가서 | 현황조사서 | 매각물건명세서 | 세대열람내역서 | 부동산표시목록 | 기일내역
문건/송달내역 | 사건내역 | 전자지도 | 전자지적도 | 로드뷰

매각물건현황(감정원 : 대일감정평가 / 가격시점 : 2012.08.10 / 보존등기일 : 2003.09.18)

목록	구분	사용승인	면적	이용상태	감정가격	기타
건물	3층중 2층	03.08.22	84.632㎡ (25.6평)	주거용	84,000,000원	• 도시가스난방
토지	대지권	34933.6㎡ 중 175.44㎡			126,000,000원	

만약 시세차익은 보이나 전세 가격이 낮아서 투자 방향을 못 찾는다면, 금융권 대출을 최대한 이용해서 월세를 놓아도 된다.

이 불건의 경우 1억 4200만 원에 낙찰 받아 전세를 놓으려 했지만, 전세 가격이 당시 1억 2000만 원이었다. 전세를 놓으려면 최종적으로 등기비를 포함 2400만 원 정도의 투자 금액이 필요했다.

그래서 이 물건의 경우는 반대로 월세를 놓기 위해 금융권에서 최대한 대출을 받았다.

낙찰가 1억 4200만 원 – 대출 1억 1400만 원 + 보증금 3000만 원
= 실투자금액 –200만 원 + 등기 비용 300만 원

총 투자금액 100만 원, 보증금 3000 / 40 (매달이자 38만 3천 원)

이렇게 임대를 놓자 투자 금액이 하나도 없이 매달 이자를 낸 후, 2만 7000원의 현금 흐름을 만들어냈다. 1년이 흐르고 현재 시세를 살펴보면 매매가 2억3000 ~ 2억 5000만 원 수준에 거래가 되는 상태이다.

이렇게 주식 투자와 달리 부동산은 안정적인 레버리지를 이용해서 큰 자금을 필요로 하지 않고, 철저한 현장 시세 조사와 발품 그리고 노

거래	확인일자	매물명	면적(㎡)	동	층	매물가(만원)	연락처
매매	확인매물 14.07.30	창보밀레시티1-3차 인기좋은 창보3단지 3층매물	104/84	311동	3/3	**25,500** 매경부동산	써치랜드공인.. 032-752-0001

력이 있다면 얼마든지 수익으로 연결시킬 수 있다.

향후 여기서 나오는 매각 차익을 어떻게 해야 할까? 나는 현금 흐름을 만들어내는 부동산에 투자할 것이다. 3억 원의 금액으로 매년 20% 정도 수익을 낼 수 있는 부동산을 매입해서 현금 흐름을 만들면 매년 6000만 원의 현금 흐름이 발생하고, 5년이 지나면 6억으로 자산을 쉽게 늘릴 수 있기 때문이다.

투자는 큰돈이 있어야 돈을 번다는 생각을 버려야 한다.

100만 원을 투자해서도 큰 수익을 낼 수 있는 종잣돈 역할을 하는 게 부동산 투자이다.

Chapter

거품이 낀
지방 부동산 투자전략

거품이 낀 지방 부동산 투자전략

이제 지방 부동산 투자는 끝났다

지난 10년간 지방 부동산 시장의 흐름이 좋지 않았다. 2000년을 전후하여 인구는 지속적으로 감소하고, 수도권의 엄청난 인프라에 인구가 계속 유출되면서 지방은 계속 소외되었다. 더불어 대형 건설사들의 지방 진출이 잇따르면서 공급 과잉으로 미분양물건은 쌓여갔다.

물가는 매년 지속적으로 오르는 데 비해 부동산 시세는 제자리를 10년 동안 유지했다.

2006년부터 저평가에 놓인 지방 부동산의 급등은 2008년 금융위이후 정부의 금리 인하를 계기로 상당히 매력 있는 수익성 부동산으로 변했다.

5000만 원에 거래되는 아파트가 임대수익률이 10%수준이었고, 레버리지를 이용하면 연 20%의 수익률도 충분했기 때문이다.

반대로 수도권은 2008년 금융 위기 이후 2013년 바닥을 친 뒤, 2014년 고개를 서서히 들고 있다.

현재 지방 부동산은 분양이 너무 잘 돼서 청약 열기가 고조되어 있는 상태이고, 현재 어딜 가나 누구나 분양권 투자 및 아파트 투자에 매우 큰 관심을 가지고 있다.

반대로 수도권은 분양은커녕 미분양 물건을 털어내기에도 바쁘다.

수도권 부동산 시장을 살펴보면

1. 부동산 강의, 부동산 투자 관련 서적에 사람들의 관심이 별로 없다.
2. 언론에서는 집값 상승에 대해 부정적이다.
3. 지난 수년간 건설사의 파산 소식이 들려왔다.
4. 2013년의 경우 수도권 아파트 낙찰가율이 급감하고, 대부분 단독으로 낙찰되는 경우가 많았으며, 심리적으로 최악의 시기였다.
5. 하우스푸어가 아웃되고, 미분양 물건은 지속적으로 증가했다.
6. 2014년에 이르러 정부의 부동산 시장 활성화 대책 및 지난 수년간 공급 부족으로 이제 상승세로 접어드는 추세이다. 하지만 아직 대중은 부동산 대세상승을 믿지 못하는 눈치이다.

반대로 지방 부동산을 살펴보면

1. 부동산 모임, 카페가 매우 활성화되어 있다.
2. 지방 부동산 강의 및 컨설팅 회사 사업, 분양권 투자가 매우 성황 중이다.
3. 술집마다 집값 상승 및 신규 분양으로 인한 부동산 이야기가 많다.
4. 지방언론에서는 집값 상승에 긍정적이며, 수많은 호재가 지역마다 한두 개씩 다 있는 상태이다.
5. 2008년 금융 위기 이후에 지속적인 상승으로 2014년까지 지속적으로 경매 시장의 낙찰가율이 상승하여 낙찰 경쟁률이 매우 높으며, 미분양 물건은 지속적으로 감소하여 현재는 분양권 투자가 아닌 분양권 투기까지 생겨난 상태이다.

지방 부동산의 상승 원인은 인플레이션과 낮은 금리 공급 부족을 기반으로 상승했던 것이다.

그러한 가격 상승은 이제 제 가치를 회복했기에 더 이상 상승하기 어렵다. 또 큰 폭의 하락은 어려우나 일정한 조정을 겪을 가능성이 높고, 오랜 기간 보합세를 겪을 가능성이 높다.

거품을 측정하는 척도란?

대부분의 사람들이 거품 속에 있을 때는 가치 평가를 하지 못하는 경우가 대부분이다.

폭탄이 터지기 전에 거품은 점점 커져 가는데, 대중은 오히려 그런 것들을 즐기고, 수익을 맛본 나머지 주변 사람들에게 전파하는 게 그들의 자화상이다.

그 지역의 거품을 알기 위해서는 물건지 주소에 위치한 관할법원 경매 법정에 참석하는 게 좋다.

시장 침체기에는 법원에 사람이 텅 비어 있었지만, 시장이 상승기로 접어들면서 입찰자들이 하나둘씩 늘어났고, 현재는 물건마다 수십 명의 입찰자들이 경쟁을 하여 시세와 비슷한 가격으로 낙찰이 이루어진다.

이는 시장 참여자들이 향후 가격 상승을 예상하고 단기 차익만을 고려하는 것이다.

나는 얼마 전 제주도에 위치한 제주지방법원에 갔다 왔다. 제주도의 경우 아파트는 동쪽의 삼화지구에서 시작하여 이도지구, 노형지구, 외도지구, 하귀지구 이렇게 나뉜다.

2006년경 삼화지구의 인근 21평 아파트는 5000만 원이었으나 현재 1억~1억 1000만 원이다.

대부분 제주도 전역의 아파트 가격 상승률이 비슷하다.

21평 아파트를 신규로 분양하려면 평당 700만 원이니, 자연스레 신규 주택이 아닌 구주택들의 가격이 평당 400 ~ 500만 원이 형성 되어야 맞을 것이다.

물론 대지권의 값에 따라 평당 800 ~ 1000만 원까지 형성될 수도 있다. 노형동 같은 경우 2003년경 평당 200만 원에 분양했던 아파트가 현재 평당 1200만 원에 거래된다.

2003년부터 6배가 올라서 거품이 아니다. 이 지역은 제주도에서 소득이 제일 높은 지역이기 때문에 당연히 부동산값이 비싸게 거래된다.

향후 제주도뿐만 아니라 전체적으로 지방 모두가 가격 상승은 어렵다. 공급과 수요가 맞아야 하는데 현재 지방은 제주도뿐만 아니라 지방 모두가 빌라 건축업자들의 짓는 대로 공급과 동시에 분양이 이루어지기 때문에 공급이 엄청나다.

이러한 공급으로 인해 앞으로 수요가 뒷받침이 되지 않는다면 시세는 힘없이 하락한다. 수요와 공급의 균형이 맞지 않으면 당연히 시세는 하락할 수밖에 없다.

이 모든 결과는 시간이 흐르면서 자연스레 나타난다.

마트에 가면 상품을 꼼꼼히 살펴보고 할인이 이루어질 때 사도록 노력하는 게 대부분의 사람들이지만, 거품이 생겨나면 대부분의 사람들이 자산의 가격의 가치를 평가하지 않고, 대중 속에 거품이 있을 땐 거품인지 모르는 것이 인간의 본능이다.

이로 인해 투자가 아닌 투기로 변질되는 것이다.

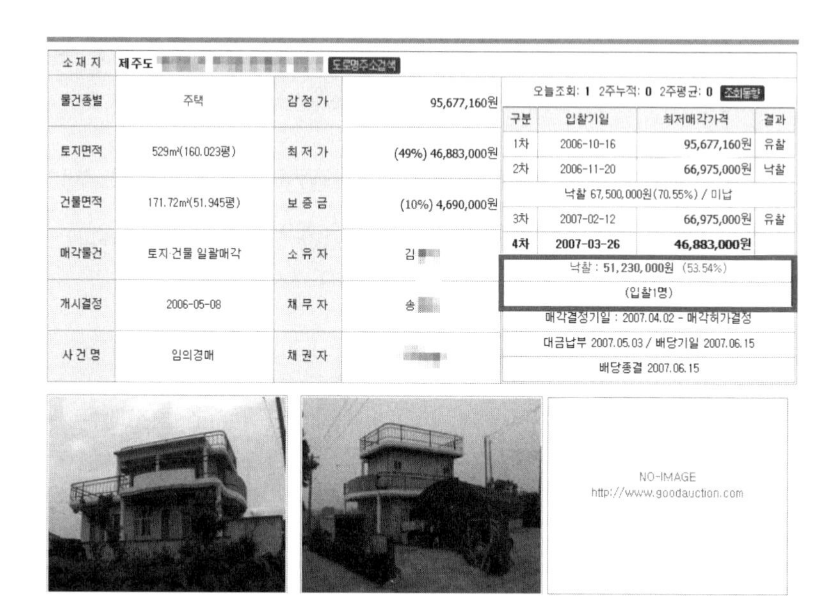

소 재 지	제주도 도로명주소검색		
물건종별	주택	감 정 가	95,677,160원
토지면적	529㎡(160.023평)	최 저 가	(49%) 46,883,000원
건물면적	171.72㎡(51.945평)	보 증 금	(10%) 4,690,000원
매각물건	토지 건물 일괄매각	소 유 자	김
개시결정	2006-05-08	채 무 자	송
사 건 명	임의경매	채 권 자	

오늘조회: 1 2주누적: 0 2주평균: 0 조회동향

구분	입찰기일	최저매각가격	결과
1차	2006-10-16	95,677,160원	유찰
2차	2006-11-20	66,975,000원	낙찰
낙찰 67,500,000원(70.55%) / 미납			
3차	2007-02-12	66,975,000원	유찰
4차	**2007-03-26**	**46,883,000원**	
낙찰 : 51,230,000원 (53.54%)			
(입찰1명)			
매각결정기일 : 2007.04.02 - 매각허가결정			
대금납부 2007.05.03 / 배당기일 2007.06.15			
배당종결 2007.06.15			

거품의 사례를 살펴보자.

2007년 제주도 주택의 경매의 입찰자는 평균 1 ~ 3명이었는데 대부분 1명이 단독으로 입찰하여 낙찰을 받아 갔다. 반대로 2014년 10월 현재 입찰자는 무려 131명이다.

지난 7년 동안 당연히 부동산 시세의 상승으로 인해 수많은 사람들이 입찰에 몰리는 이유는 분명하지만, 거품 속에 시세는 계속 올라가는데도 대중은 그걸 모른다.

오랜 기간 물가 상승이 이루어지는 과정에서 제주의 부동산 시세는 제자리였기 때문에 당연히 상승이 이루어져야 맞고, 과거 다른 지방 도시들 역시 똑같이 매우 저평가되어 있었다.

물론 중국인 관광객의 증가 및 올레길 수요 그리고 제주 이민자들의 수요로 부동산 시세 상승이 이루어진다고 이야기하는 사람들도 있을 것이다.

과거 일본인들이 제주를 집어삼킨다고 했던 적은 기억은 나는가?

제주 이민자들은 대부분 훌륭한 입지가 아닌 도시에서 매우 떨어진 빈 농가 주택을 매입하여 힘들게 살아가는데, 사실상 몇 년을 버티지 못하고 다시 도시로 되돌아가는 사례가 많다.

중국인들의 관광객 수요는 제주뿐만 아니라 강원도역시 10배로 급증하고 있다. 실제로 강원도 양양공항의 중국인 입국자는 1년 만에 6배가 급증했다.

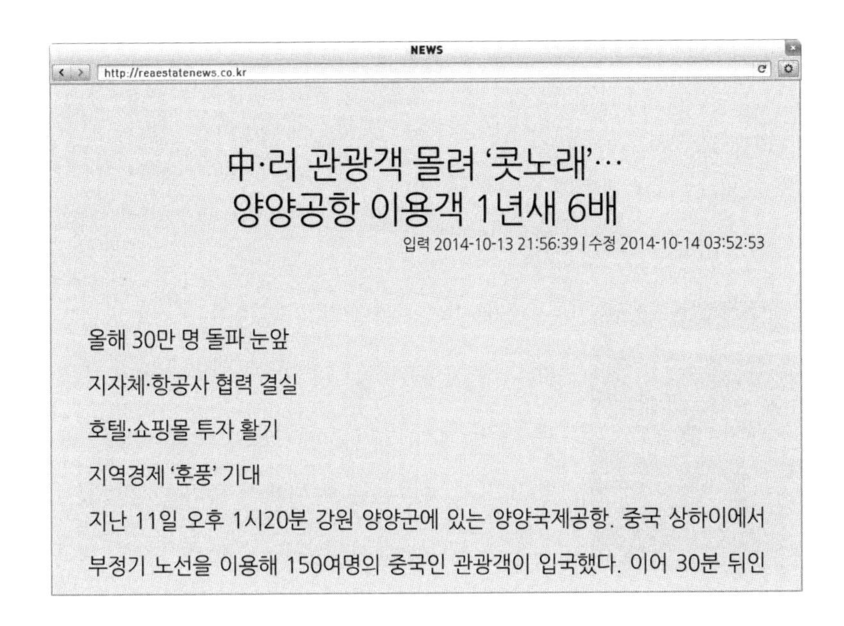

NEWS

http://reaestatenews.co.kr

中·러 관광객 몰려 '콧노래'… 양양공항 이용객 1년새 6배

입력 2014-10-13 21:56:39 | 수정 2014-10-14 03:52:53

올해 30만 명 돌파 눈앞

지자체·항공사 협력 결실

호텔·쇼핑몰 투자 활기

지역경제 '훈풍' 기대

지난 11일 오후 1시20분 강원 양양군에 있는 양양국제공항. 중국 상하이에서 부정기 노선을 이용해 150여명의 중국인 관광객이 입국했다. 이어 30분 뒤인

오후 1시50분에는 러시아 하바로프스크에서 140여명을 태운 비행기가 들어왔다. 넓은 공항터미널은 중국 러시아 등 외국 관광객들로 빈 공간이 없을 정도로 붐볐다.
김칠봉 양양공항 운영팀 차장은 "지난해는 1주일 가운데 주말에만 두 번 정도 입·출국하는 관광객이 있어 평일에는 한산했다"며 "하지만 올 들어서는 매일 하루 종일 북적인다"고 말했다. 양양공항은 여객 급증으로 직원을 5명 추가 채용했다.

◆올해 국제노선 23개 개설
지난해까지만 해도 한산했던 양양공항에 올 들어 중국 러시아 등 해외 관광객 입국이 크게 늘어나고 있다. 올해 양양공항에 중국과 러시아 국제노선 23개가 늘어 총 25개 국제노선이 운항되고 있다. 이달 초에도 러시아 하바로프스크와 블라디보스토크, 중국 우한 등 3개 노선이 추가 개설됐다. 중국 상하이 노선만 정기 노선이고 모두 부정기 노선이다.
올 들어 운송실적은 운항 편수 2315편에 여객 수 23만8722명으로, 작년 같은 기간 대비 운항 편수가 106%, 여객 수는 488.5% 증가했다.

(양양=김인완 기자 iykim@hankyung.com)

중국인들의 관광객 수요 증가는 제주도뿐만 아니라 전 세계적으로 이루어지고 있다. 중국의 개방 개혁 이후 중국인들의 소득 수준이 높아지면서 자연스레 여행객이 증가한 것이다.

또한 제주부동산의 중국인 투자가 많다고하

지만 실제로 거래총액에 6.5%수준밖에 되지 않는다.

제주지방법원의 주택 물건에 대한 131명 입찰자는 모두 부동산 투자에 관심이 있는 사람들이다. 실제 현재 제주는 현지인들의 술자리에만 가도 모두 다 부동산 이야기뿐이다.

131명의 지인들은 같은 생각을 가진 사람이 많을 것이다. 또 131명 모두 부동산 시세의 하락이 아닌 상승을 생각하고 입찰했을 것이다.

심지어 법원에 아기를 안은 엄마가 입찰을 하러 오는 모습을 보면서 더 거품을 느끼게 된다.

현재 대구, 구미, 부산, 충청도, 강원도, 경상도, 제주도를 비롯하여 모든 지방이 위험 수위를 계속 높여 거품을 만들어 내는 과정이라 생각하면 된다.

그 거품이 서서히 꺼져갈 때의 고통은 앞으로 우리가 보게 될 미래이다.

선별해 투자해야 할 지방 부동산

지방의 다가구(원룸) 투자는 경쟁이 치열해지고, 시간이 흐르면서 월세가 낮아진다.

반대로 지속적으로 수익이 유지될 수 있는 부동산은 결국 수익형 아파트이다.

1. 임대수익률이 6% 이상이라면 하락이 어렵다.

2. 지방에 소외되고 숨어 있어 공급이 매우 부족한 지역이어야 한다.

3. 배후에 산업단지가 자리 잡아 임대수요가 꾸준한 지역이어야 한다.

4. 24평 미만의 소형 아파트여야 한다.

위 4가지 조건에 부합하는 수익형 부동산을 제외하고는 일시적인 조정이 아니라 장기적인 조정을 겪을 가능성이 높다. 물론 대폭락 같은 시세 하락이 아닌 일정한 조정을 겪어야겠지만, 앞으로 향후 수년간은 시세 상승은 없다고 판단해도 좋다.

충북 음성군, 진천군은 우리나라 대기업 및 중소기업의 음식료회사 공장들이 상당히 많아 임대를 놓기도 좋고, 향후 지방의 시세 하락의 조정 속에도 투자할 수 있는 지역이다.

음식료기업의 경우 꾸준한 소비가 이루어지기 때문에 기업의 이익이 매우 안정적이고, 직원들의 급여역시 연체될 가능성이 희박하고 고용이 보장되어 있다.

동원F&B 참치캔 1위
동서식품 커피믹스 1위
팔도라면 라면 4위
CJ제일제당 제당업계 1위
아모레퍼시픽 화장품 1위, 설녹차 1위
오뚜기 소스 1위, 라면 2위

풀무원 두부 1위, 생면 1위
에이스침대 침대 1위
CJ푸드빌 프랜차이즈 외식업 재료 공급 (VIPS, CJ 뚜레쥬르)
기타 기업 한국다우코닝, 선일다이파스, 현대EP, 조광페인트, 한독약품

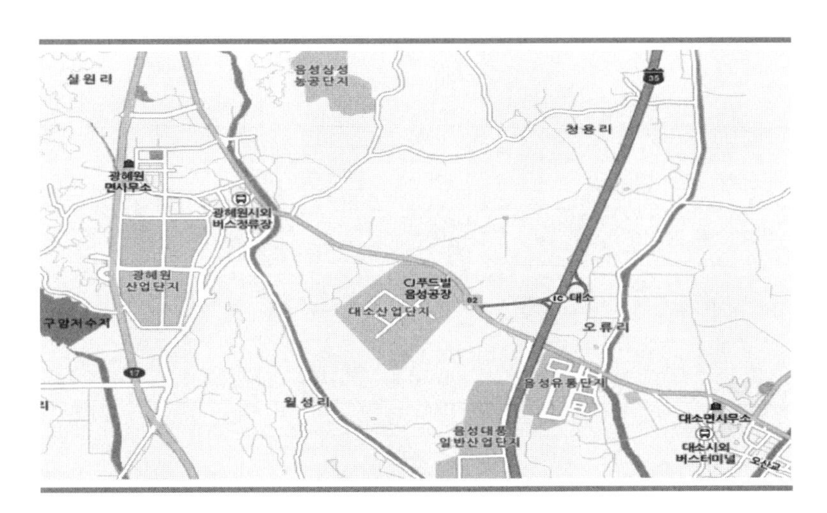

그중에서 광혜원면, 대소면, 대풍면에 위치한 아파트들은 장기적인 임대 사업이 가능한 지역이다.

Chapter 9

저평가된
수도권 부동산 투자전략

저평가된
수도권 부동산 투자전략

이제 돈의 흐름은 수도권이다

인천 연수구의 경우 2012년 24평 아파트 전세 시세가 1억 1000 ~ 1억 2000만 원 정도였는데, 2014년 8월 1억 5000만 원 정도까지 올라간 상태였다.

2012년 매매가는 1억 5000만 원 정도였는데, 2014년 매매가는 1억 7000만 원으로 매매 가격 역시 2000만 원 정도 상승했었다.

나는 늦었다고 생각하지 않고 투자했다. 2012년에 투자한 사람은 실투자금액이 3000만 원이 소요됐지만 나는 1000 ~ 2000만 원으로 투자가 가능했다.

누가 더 좋은 투자를 한 것인가?

내가 생각하는 투자는 너무 싸게 산다고 중요한 게 아니라 언제 어디쯤에서 내리는 게 명확한 것이 좋다.

많이 먹으면 체한다. 싸게 사면 배부르게 먹고, 적당히 사면 적당히 먹으녀 된다.

2006년부터 상승된 수도권 아파트는 2008년 공급증가로 이어졌다. 미분양 주택들이 많아지더니 결국15만 호를 넘어서게 된다.

이제 7년이란 시간이 흘렀다. 7년이란 시간 동안 4000여 개가 넘는 건설사들이 파산했다.

27세 시절, 미소지움이라는 브랜드를 가진 신성 건설에 투자한 적이 있다. 2007년 5월 6일 신성건설에 탐방을 간적이 있었는데, 강남 뉴욕제과 건너편 스타벅스 건물의 소유주가 신성건설이었다. 바로 뒷편 건물 역시 신성건설 소유였다.

신성건설은 미소지움이란 브랜드로 공격적으로 분양을 했고, 해외활동도 했다. 그 당시 IR 담당자와 나누었던 대화 내용들을 살펴보면 다음과 같다.

신성건설은 생각보다 초라한 사무실로 강남에 자리 잡고 있었다. 13층에 슬래브 지붕 옥상 아래 사무실을 가지고 있었으며, 조그만 정원처럼 꾸며놓았다.

이는 보수적인 경영자의 마인드를 엿볼 수 있는 부분이자, 과거 50년 동안 존재할 수 있는 이유인 듯싶었다.

경영자는 정치에 관여하지 않으며, 매스컴의 노출을 상당히 싫어하고, 매우 투명하다고 직원들은 평가하고 있었다.

강남 신성빌딩 바로 뒷편에 또 신성빌딩이 존재하는데 이 역시 임대 및 주자창으로 사용하고 있었다. 그때 당시 시가로 수천 억 이상은 충분히 가능하지 않을까 생각됐다.

이 빌딩들이 당시 신성건설이 300%에 이르는 부채비율에도 불구 투자할 수 있는 나의 안전마진이었다.

당시 8500억 원의 매출 근거에 대해서는 국내 공사 부분과 해외 공사 부분에서 발생하는 매출액이 각각 5000억 원, 그리고 3000 ~ 4000억 원으로 예상하고 있었다.

이 부분 중 두바이 진출로 개발 사업을 하기 위해 500억 원을 들여 부지를 매입하여 7월 착공에 들어갔는데, 공사비는 3천 억 규모라고 했다.

신성건설의 해외건설 4건이 모두 착공에 들어가며, 그로 인해 매출액 8500억이라는 근거가 가능하다고 회사 측은 제시하였다.

국내 자체개발공사(시공, 시행, 분양)의 경우 영업이익률이 15%에 이르며, 리스크가 있는 만큼 수익성역시 좋기 때문에 동원개발 같은 기업이 상당히 매출액 대비 이익률이 좋다.

해외 자체 개발 공사의 경우 15 ~ 30%의 마진을 챙길 수 있을 만큼 수익성이 좋다

……(중략)

내가 탐방을 갔던 시기는 2007년 5월 6일이었고, 6월부터 신성건설은 급등했다. 1,000원 대에 맴돌던 회사가 갑자기 한 달 반 만에 15,000원까시 수직 상승한 것이다.

여기서 알 수 있듯이 신성건설은 저평가되었던 것이다. 강남의 건물 가치가 수천억을 넘는데 주식을 몽땅 다 사도 300억밖에 안됐다. 나는 신성건설의 주식을 내 지인들과 상당수 매입했고, 큰 재미를 보았다.

하지만 불과 1 ~ 2년 후 이 회사는 공중분해 된다.

50년 역사 속에 빌딩 13층 꼭대기 옥상을 집무실로 사용하던 경영자의 능력도 2008년 금융위기는 피해갈수 없었던 것이다.

이렇게 대한민국 4000여 개의 건설사는 도산하고 현재 빅6기업만이 살아남아 시장을 더욱 나눠 먹고 있는 실정이다. 지난 7년간 영업 적자와 이자 비용을 감당하기엔 너무나도 역부족이었기 때문이다.

그만큼 힘든 영업 환경을 이겨내지 못하고 수많은 건설사들이 사라져버렸다.

그렇기에 2015년은 반전의 해가 된다. 국내 건설사 4000여 개가 다 도산하고, 공급이 중단되는 새로운 해이기 때문이다. 2015년이 지나고 2016년이 되어도 역시 마찬가지이다.

우리나라 사람들은 누가 잘되면 배 아파한다. 그리고 시기와 질투를 한다. 인간의 본성은 베풀어도 결국 돌아오는 건 대부분 배은망덕

이란 이야기가 있다.

시기와 질투의 화신인 우리가 건설사의 도산을 어떻게 생각해야 할까? 건설사의 도산에 우리는 배아파 해야 할까?

아니다. 무조건 기뻐해야 한다.

건설사의 영업 이익이 증가하고, 수주 물량이 증가하면 슬퍼해야 한다.

왜일까? 건설사의 수주 물량이 증가한다는 것은 곧 부동산시장의 하락을 예고하기 때문이다.

부동산시장의 흐름은 지속적으로 반복된다.

부동산시장 폭등 → 정부의 규제 정책 → 미분양 증가 → 부동산 경기 침체 → 건설사 부도 → 정부의 규제 완화 및 부양책 발표 → 부동산시장 심리 회복 → 부동산시장 가격 상승 → 건설사 수주 물량 증가 → 부동산시장 폭등

2007년 당시 내가 다닌 기업탐방 메모에는 이런 구절이 있다.

'동부건설은 수주 금액만 10년 치 일감을 확보했다!'

현재 동부건설은 부도 직전 위기에 몰렸다. 기뻐해야 할까?

맞다. 기뻐해야 한다.

2008년 미분양 주택 15만 호를 넘긴 주범은 건설사였다. 그러나 이제 건설사들이 도산하고 약 2만 호 아래의 미분양 물량이 남아 있다.

향후 이들 미분양이 소진되면 어떻게 될까?

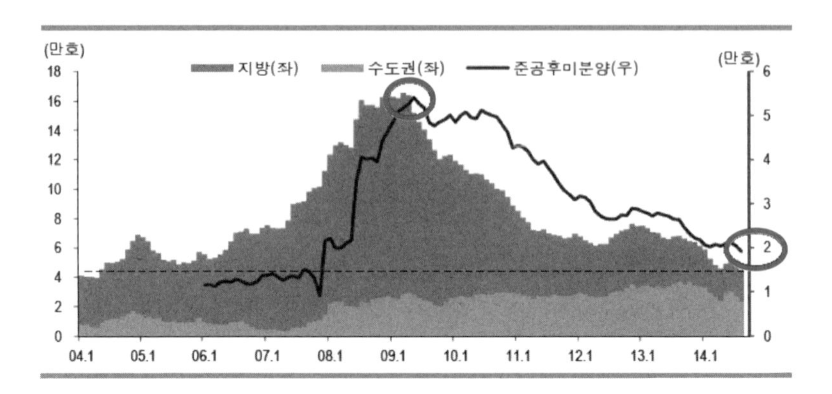

초등학생들에게 물어보자.

"초코파이가 1개 있는데 100원에 살 사람?"

"저요! 저요!"

"그럼 200원에 살 사람?"

"저 주세요!"

"그럼 300원에 사람?"

"(주위를 살피며)음~~~ 제가 살게요!!"

그러다가 공급이 쾅 이루어져서 초코파이가 10개가 되면 300원에 구입한 애는 제값에 팔기 힘들다. 공급이 많아지면 초코파이값은 다시 100원으로 돌아오기 때문이다.

공급이 없으면 시세가 오르는 건 시간문제이다.

2008년 금융위기 이후 서울 및 수도권의 공급 물량은 상당했다. 경기도의 경우 10만 가구를 넘었고, 서울 역시 5만 5000가구의 공급을

지역	2004년	2005년	2006년	2007년	2008년	2009년	2010년	2011년	2012년	2013년	2014년	2015년	2016년
서울시	62,530	53,996	47,722	37,178	55,385	30,662	35,679	36,511	19,088	22,902	37,259	19,833	12,10
경기도	125,360	94,652	90,645	75,430	87,014	110,675	115,042	62,222	62,681	51,010	50,729	69,184	56,71
인천시	17,810	21,225	13,793	30,451	15,450	16,177	18,527	22,299	26,380	10,709	10,472	11,679	7,34

보여줬다. 지속된 공급에 가격은 하락했고, 2015년 경기도의 공급 물량은 7만 가구에서 2016년 5만 가구로 공급이 줄어들고, 2015년 서울의 공급 물량은 2만 가구에서 2016년 1만 가구로 공급이 줄어들게 될 것이다. 계속 해가 거듭될수록 서울, 경기, 인천의 공급은 지속적으로 줄어들 것이다.

2008년 금융위기 이후 수도권 부동산 시장은 평당1000만 원에 거래되던 아파트의 시세가 평당 500만 원까지 하락했다. 레버리지를 이용해 무리한 대출을 받은 투자자들은 대부분 많은 이자와 시세하락을 감당하지 못하고 부동산을 처분했으며, 수도권 아파트의 시세 하락은 영원할 것처럼 보였다.

계절의 흐름으로 살펴보면 이제 수도권 부동산 시장은 2013년 겨울이 지나고 2014년의 1차 상승을 시작한 후, 2015년 봄날이 온 것이다.

꽃 피는 봄이 오는 데 7년이란 시간이 필요했다. 왜 7년이라는 긴 시간이 흐른 뒤에야 나는 꽃 피는 봄이 왔다고 이야기하는가?

거주용 아파트의 경우 수급의 영향을 받는다. 즉, 수요보다 공급이 적을 때 오르게 되어 있다. 2008년 금융 위기 이후 수많은 건설사의 파산 및 도산, 그리고 시세 하락으로 인해 많은 사람들이 파산했다.

그 결과 미분양 물건이 쌓였기에 7년 동안 제대로 된 분양이 이루어지지 않았다.

과거 IMF 1998년 당시 경제 위기로 인해 아파트 공급 물량이 적었다. 당시는 고금리에 경제 위기로 인해 당연히 분양이 되지 않았다.

미분양 물건은 증가했고, 당시 연평균 30만 호가 아파트의 적정 공급 수요라고 가정하면 그 절반조차 공급되지 못했다. 이러한 공급 부족은 평균적으로 3년 동안 계속된다.

2001년 이러한 공급 부족으로 인해 수도권 아파트시세가 오른 적이 있다.

3년간의 주택 공급 물량 부족으로 전셋값이 현재처럼 상승하여 매매가 상승으로 이어진 과거 사례가 있는 것이다.

아파트 미분양과 경제적 위기로 인한 1998년과 2008년은 거의 비슷한 반복의 시작이다. 단지 회복을 위한 시간적인 차이만 다른 것이다. 우리는 사실 반복되는 투자 패턴을 잊고 지나갈 뿐이다.

수도권의 경우 매년 30만 호의 공급이 필요한데, 2013년 10만 호 공급 후, 2014년 8만 호 공급으로 공급이 갈수록 줄어들고 있다.

2013년 한 해 동안 4000여 개가 넘는 건설사들이 부도로 쓰러졌다. 현재 수도권 아파트의 평균 전세가율이 70%를 넘어서기 시작했다. 일부 지역에서는 95% 수준까지 육박한 곳도 있을 정도다.

현재 전세가는 아파트값이 오르기 시작한다는 지표로 생각해도 좋

시군구	읍면동	재건축단지명	사업단계	총세대수	건립예정세대수	시공사
서초구	서초동	삼호 1 차	이주/철거	708	907	대우건설, KCC 건설
서초구	서초동	우성 3 차		276	421	삼성물산
서초구	잠원동	반포한양	관리처분계획	372	606	GS 건설
강남구	개포동	주공 2 단지	사업시행인가	1,400	1,957	삼성물산
강남구	개포동	주공 3 단지		1,160	1,318	현대건설
강동구	고덕동	고덕주공 2 단지		2,600	4,103	대우건설, 현대건설, SK 건설
강동구	길동	신동아 1~2 차		972	1,177	GS 건설
강동구	명일동	삼익그린 1 차		1,560	1,900	삼성물산
강동구	상일동	고덕주공 3 단지		2,580	4,066	현대건설
강동구	상일동	고덕주공 4 단지		410	687	현대산업개발
노원구	공릉동	태능현대		632	1,217	삼성물산, GS 건설
동작구	상도동	대림(36-1)		400	698	대림산업
서초구	반포동	삼호가든 4 차		414	751	대우건설
서초구	반포동	한양		456	817	삼성물산, 현대산업개발
서초구	서초동	우성 2 차		403	593	삼성물산
서초구	잠원동	한신 18 차		308	475	삼성물산
서초구	잠원동	한신 5 차		555	581	대림산업
송파구	가락동	가락시영 1~2 차		6,600	9,510	삼성물산, 현대건설, 현대산업개발
송파구	풍납동	우성		495	697	현대산업개발
강남구	개포동	시영	조합설립인가	1,970	2,318	삼성물산
강남구	개포동	주공 1 단지		5,040	6,662	현대건설, 현대산업개발
강남구	개포동	주공 4 단지		2,840	3,329	GS 건설
강남구	삼성동	홍실		384	0	대림산업
강남구	압구정동	한양 7 차		240	239	삼성물산
강남구	일원동	현대사원		465	779	삼성물산
강동구	둔촌동	둔촌주공 1 단지		1,370	11,106	대우건설, 롯데건설, 현대건설, 현대산업개발
강동구	둔촌동	둔촌주공 2 단지		900		
강동구	둔촌동	둔촌주공 3 단지		1,480		
강동구	둔촌동	둔촌주공 4 단지		2,180		
강동구	상일동	고덕주공 5 단지		890	1,572	현대산업개발
관악구	봉천동	해바라기		120	714	현대산업개발
서초구	반포동	신반포(한신 15 차)		180	432	대우건설
송파구	잠실동	주공 5 단지		3,930	7,198	삼성물산, 현대산업개발, GS 건설
용산구	이촌동	삼익		252	252	대림산업
용산구	이촌동	왕궁		250	250	삼성물산
강남구	압구정동	구현대 1~7 차	안전진단	3,074	4,536	
강남구	압구정동	한양 1~8 차		3,015	3,576	
강남구	도곡동	삼익	추진위	247	0	삼성물산
서초구	반포동	신반포(한신 3 차)		1,140	0	삼성물산
서초구	방배동	(구)삼호 1~4 차		1,393	839	
서초구	서초동	우성 1 차		786	1,204	삼성물산
송파구	신천동	진주		1,507	2,390	삼성물산, 현대산업개발
강남구	대치동	은마	구역지정	4,424	0	삼성물산, GS 건설
송파구	신천동	장미 1~3 차	기본계획	3,522	0	

다. 향후 미분양 주택의 감소는 향후 시장의 반전을 이야기한다. 즉, 수요보다 공급이 적을 때 오르게 되어 있다.

2008년 금융위기 이후 수많은 건설사의 파산 및 도산 그리고 시세 하락으로 인한 많은 사람들의 파산으로 인해 미분양 물건은 쌓여 갔기에 분양을 7년 동안 제대로 하지 못했다.

2008년 금융위기 이후 미분양 주택이 15만 호에서 2014년 5만 호 이하로 하락했고, 2008년 금융위기 이후 4000여 개가 넘는 건설사의 도산 그리고 정부의 신도시 개발 중단 및 약 7년간의 공급 부족은 상승을 가져오는 원동력이 된다.

향후 미분양 주택의 감소는 시장의 반전을 이야기한다.

또한 2015년부터 지속적으로 매년 이주가 계획된 강남 재건축 아파트는 전세가 및 매매가를 올리는 데 더욱 부채질할 전망이다.

총 3만여 세대의 강남 재건축이 준비 중이고, 이는 대형건설사 기준 세대수이다.

강남 재건축이 시작되면 어떻게 될까? 강남에서 시작된 불은 수도권 전역으로 번질 가능성이 높다.

불이야~~!!!

현재 내가 글을 쓰는 2015년 1월은 이제 봄을 알리는 데 불과하다.

돈의 흐름은 수도권으로 이제 다시 돌아왔고, 2015년 봄을 지나면서 또 다시 상승곡선을 그리게 될 것이다.

내가 계속 2015년부터는 지방 부동산이 끝났다 말하는 것은 돈의 흐름이 수도권으로 몰리기 시작하면서 결국, 2015년부터는 수도권 부동산 시장의 봄기운이 완연하게 돌아올 것이라는 의미이다.

그리고 이러한 실제 투자 사례까지 포함해서 순풍이 언제까지 지속될지, 또 어떠한 지역에 투자해야 유망할 것인지 한번 살펴보기로 한다.

인천에 아파트 20채를 투자하다

2014년 1월은 정부의 정책과 부동산 실수요자의 매매로 인한 가격 상승이 이루어지고 난 후로 매우 조심스러운 시기였다.

그래서 별 생각 없이 매일 휴식과 여행을 하는 생활이 반복됐다. 나에게는 쉬는 것이 투자이고 하나의 전략이다. 휴식은 재충전의 기회를 준다고 생각한다.

그러나 시장의 흐름이 어떻게 돌아가는지 알아야 하기 때문에 가장 중요한 건 역시 현장을 조사하는 것이다.

2014년 7월 나는 와이프와 함께 부동산에 방문하기 위해 집을 나섰다. 둘이 다니면 신혼부부로 보이기도 좋고, 집에서 가까운 지역인지라 동행했다.

연수동에 도착하여 부동산에 들어가니 중개인은 이렇게 말했다.

"아휴~ 몇 개월만 일찍 오시지. 그럼 지금보다 훨씬 싸게 사실 수 있었는데……. 대구, 부산 사람들이 많이 매매해서 전세 놓아서 투자

했어요."

왜 지방 투자자들이 인천 지역에 투자하는지 부동산 중개인은 잘 모르는 듯했다. 하지만 나는 전국의 지역을 둘러보았기 때문에 그 이유를 잘 알고 있었다.

충청북도에만 가도 평당 600 ~ 700만 원이 넘는 아파트가 수두룩한데 그래도 수도권이라는 인천 지역의 아파트가 충청북도와 같다니 당연히 지방 투자자들이 군침을 흘릴 수밖에 없다.

택지의 값이 충청북도와 인천 중 어디가 비쌀까?

이전 글에서도 이야기했던 것처럼 지방 아파트의 상승은 상당히 무서울 정도였다. 학습효과를 겪은 지방 투자자들은 당연히 수도권이 저평가됐다고 판단할 수밖에 없다.

과거 부동산으로 재미를 본 건 오직 수도권에 거주하는 사람들이 대부분이었다. 그러나 이제 반대로 학습효과를 잘 경험한 노련한 지방 투자자들이 수도권을 매집 중이다.

인천 지역의 공급물량은 해가 거듭될수록 줄어들어 2015년 이후에도 계속 공급이 줄어들 예정이다.

매년 없어지는 멸실 주택과 인구 유입에 따른 주택공급까지 생각한다면 당연히 2015년부터 전세가 상승은 불 보듯 뻔할 것이다.

부동산 중개인은 싼 매물은 없다며 투덜거리면서 남은 매물이라도 사지 않을까 하는 조바심에 나를 쳐다보았다.

"사장님, 앞으로 매매가는 더 오를 거예요. 여기 1억 4000만 원짜리 물건은 아마 1억 8000만 원까지는 오를 겁니다."

부동산 중개인은 젊은 사람이 매매도 하지 않고 그런 말을 하니 안 믿는 눈치였다.

"일단 매매 가능한 물건 다 보여주시고, 매입하겠습니다."

이렇게 이야기하자 부동산 중개인은 그제야 얼굴에 화색이 돌았다. 대부분의 중개인들은 수수료가 최대목적이라 이러한 말을 참 좋아한다.

몇 군데 집을 둘러보고 고민하지 않고 곧바로 계약했다.

"사장님, 여기 1억 4000만 원짜리는 전세 1억 3000만 원에 매물 놓아주세요!"

"아니! 지금 시세가 있는데 어떻게 그 금액을 부르세요. 저는 자신 없는데요."

"사장님, 앞으로 시세가 이렇게 오를 것이고, 정 안 나가면 대출받아 월세라도 놓을 테니 그렇게 해주세요."

그렇게 집에 돌아와 밤에 많은 생각에 잠겼다.

향후 아파트 물량 공급은 없고, 앞으로 전세가는 상승할 것인데 1000 ~ 2000만 원의 소액 투자가 가능하니 충분히 투자 매력이 있다고 생각됐다.

하지만 투자자들이 너무 매달렸으니 다른 지역을 선택해야 했다.

어차피 인천 연수구는 송도 배후 도시로 수혜를 받는 지역이기 때문에 비슷비슷할 것이라 생각한다. 앞으로 송도신도시에 대기업의 이진이 지속되면서 수많은 직장인들의 이주가 예상된다. 하지만 직장인들의 소득으로 선택할 수 있는 주거 지역은 송도가 아니라 그 배후 지역이다.

다음날 아침이 되어 반대로 인천 연수구 옥련동의 부동산으로 향했다.

어제와 다른 부동산에 들어가니 이곳 역시 조금 일찍 왔으면 좋았을 텐데, 라는 말만 되풀이한다.

나는 개의치 않고 부동산 지도를 천천히 살펴보면서 부동산 중개인에게 말했다.

"사장님, 여기 현대아파트 24평형 전세가 얼마나 하죠?"

부동산 중개인은 퉁명스럽게 대답했다.

"1억 4000 ~ 1억 4500만 원 정도요~"

그럼 매매가 1억 7000만 원에 전세 1억 4000만 원이면 3000만 원만 투자하면 된다.

"사장님, 일단 매매 가능한 24평 다 보여주세요!"

부동산 중개인과 함께 매물들을 살펴보고 바로 계약했다.

이제 전세를 놓는 일이 남았다. 부동산 중개인이 이야기한 전세 시세는 나에게 통하지 않는다. 앞으로 공급이 부족할 것이기 때문에 당연히 전세 시세는 오를 수밖에 없다.

"사장님, 전세 1억 6000만 원에 올려놓으세요."

내 이야기를 들은 부동산 중개인은 어이없다는 표정을 지으며 답했다.

"미쳤어요? 지금 전세 1억 5000만 원이 올수리된 집 전세 시세인데 1억 6000만 원에 나가겠어요? 다른 부동산들한테 욕먹고, 어차피 나가지도 않을 금액인데. 난 전세 안 나가도 책임 못 져요~"

"알겠습니다. 신경 쓰지 마시고 그렇게 진행해주세요."

부동산 중개인의 생각과 달리 전세는 1억 5500만 원으로 상승했고, 다시 1억 7000만 원으로 상승하여 이제 이 동네의 평균 시세가 되어 버렸다.

실투자금 3000만 원과 1000만 원의 차이는 크다. 공급이 없는 지역의 투자는 이렇게 높은 전세 시세를 만들어 낼 수 있다.

2014년 7월을 시작으로 2014년 12월까지 총 20채를 매입했다. 2015년까지는 기회가 충분히 남아 있고, 해가 거듭될수록 매매가와 전세가는 오를 것이다. 이번 투자는 아직 완료되지 않았지만 충분히 좋은 결과를 가져올 것이다.

그리고 투자로 회수된 자금은 전세 투자가 아닌 현금 흐름을 가져오는 수익성 투자로 재배치할 생각이다.

수도권 투자 유망 지역과 피해야 할 지역

2007년까지 치솟던 수도권 아파트값은 2008년을 기점으로 서서히 하락하여 해가 거듭될수록 그 가격하락 폭이 커졌고, 2012년에 이르러 바닥을 만든 데 이어 다시 2013년 대바닥을 만들었다.

오랜 기간 공급이 없던 수도권 아파트의 공급 부족이 시작되는 2015년은 수도권 평균 전세가 70% 돌파를 기록하고, 향후 2016년까지 공급 부족으로 인한 수도권 아파트 가격 상승은 불 보듯 뻔한 일이다.

또한 전 세계 금융위기는 수많은 건설사의 도산을 가져왔고, 그로 인해 더욱 공급이 힘들어졌다.

2015년, 2016년, 2017년 해가 거듭될수록 공급 부족으로 인한 전셋값 상승은 실수요자들의 부동산 구매를 이끌어낼 것이고, 원하지 않아도 자연스레 내 집 마련을 하게 만들 것이다.

서울특별시 서울의 경우 공급이 턱없이 부족하므로 중소형평수 역세권 아파트 어느 곳이든 투자가치가 충분하다. 앞으로 서울은 중소형평수의 아파트 공급이 어렵기 때문에 서울의아파트 24평 미만 소형평수는 희소가치가 있고, 매매 회전이 더 빨라질 예정이다.

실투자금이 3000만 원 이하 매매가 대비 전세 비율이 80% 이상, 임대수익률 4% 이상이라면 매입하면 된다.

인천광역시 – 송도 인천광역시의 경우 2015년 6월부터 송도에 6000세대가 입주 예정이다. 2015년 하반기는 송도 입주 물량이 많기 때문에 투자는 힘들다.

인천 지역의 2015년은 송도, 구월동을 제외하고는 사실상 대규모 신규 입주 물량 공급이 없다. 현재 연수구의 경우 매매가 대비 전세가 비율이 80 ~ 90%를 넘어서고 있다.

송도신도시의 경우 지속적인 입주 물량 공급으로 2015년 6월부터 2015년 10월까지 지속적인 입주 물량이 쏟아져 당분간 매매 시세 역시 보합세를 이룰 가능성이 높다.

역발상 투자라고 했던가? 이러한 물량 공급으로 상대적으로 가격 상승폭이 적은 송도 지역은 앞으로 계속 관심 있게 지켜볼 필요가 있다.

물량 공급이 어느 정도 끝나면 투자 기회가 찾아온다. 모두가 두려움과 공포에 질려 있을 때 투자를 해야 한다.

2015년 하반기 대규모 입주로 변화될 송도신도시의 매매가 및 전세가를 살펴보아야 한다. 투자를 하는 것이 아니라 매달 매매가 및 전세가를 기록해 두는 것도 좋은 방법이다.

2014년 송도신도시에서 분양된 물량은 4431가구로 2013년(2544

가구)보다 74.2%가 증가했다. 만약 경기가 더 좋아진다면 분양을 미루고 있던 물량이 지속적으로 쏟아질 가능성이 크다.

2015년에 6000가구가 입주를 시작한다. 2015년부터 2017년까지 총 1만 2000가구가 입주 예정인데, 입주 물량으로 인한 매매가와 전세가를 살펴보며 투자를 진행해야 한다.

관건은 2015년 입주 물량 공급이 어느 정도 소화된 후, 2016년 전세가에 영향이 없다면 투자를 진행하여도 좋다는 신호다.

우스갯소리로 천당 아래 분당에 산다고 한다. 이제 청담동 며느리에서 송도 며느리로 시대가 변화했다. 대기업 오너들의 자녀들이 초등 교육을 해외 유학이 아닌 송도에서 시작하고 있고, 앞으로 송도는 발전가능성이 매우 높은 지역이다.

인천광역시 – 옥련동, 동춘동, 연수동 위의 세 곳은 송도 배후도시로 지속적인 송도의 기업 이전으로 인구가 유입되면서, 송도에 입주할 수 없는 소득층들의 유입으로 현재 전세 시세가 계속 상승 중이다.

그러나 아쉽게도 2014년 지방 투자자들의 유입으로 24평형의 투자 매력도가 크게 떨어졌다.

반대로 34평형의 매매 시세는 24평형보다 덜 올랐고, 전세 공급이 없어 34평형의 경우 아직 투자가 유효하다.

동춘동의 경우 올해 구월동 아파트 4000세대의 입주물량을 제외하고 향후 입주 물량이 없으므로, 올해 6월 이후 매매가 및 전세가 동향을 살펴보며 소형 평수가 아닌 30평형대의 투자를 추천한다.

현재 매매 시세는 2억 6000 ~ 2억 8000만 원이고, 전세는 2억 5000만 원으로 실투자금 3000만 원선에서 대형 평수 투자가 가능하다.

경기도 - 덕양구 화정동, 행신동 서울과 가깝고 출퇴근이 편리해서 역세권으로 직장인들이 좋아하는 곳이다.

현재 20평형의 경우 소액으로 투자가 가능하다. 화정동 부영8단지, 부영11단지 20평형, 행신동 소만마을 20평형 부영6단지가 투자처로 좋다.

소형 평수이면서 역세권으로 위치가 좋기 때문에 향후 전세 시세 상승이 높 을것이고, 여러 개의 물건을 투자한다면 매매 가격이 상승하면 일정 보유분을 정리하고 남은 물량을 오랜 기간 보유하면서 전세에서 월세로 전환시켜 임대 수입을 얻을 수 있다.

경기도 - 의정부 향후 상계동 재건축 영향으로 매매가 및 전세가 상승이 예상된다.

대부분의 투자자들은 재건축, 재개발이 대박인 듯 투자를 하려고 하지만 현실은 그렇지 않다. 오히려 내용 년수가 오래되지 않는 역세권 소형 아파트를 매입해 월세를 놓는 것이 더욱 현명하다.

민락동의 경우 아파트가 입주한 지 10년이 조금 넘었고 월세를 놓기 어렵지 않기 때문에, 소형 아파트를 매매로 매입하여 대출을 받고 월세를 놓는 것도 좋은 투자 방법이다.

또한 경전철의 개통으로 의정부역에서 환승 후 미래엔 GTX를 이용하면 교통이 편리하다는 것도 눈여겨볼 만하다.

경기도 – 용인 신분당선의 개통으로 강남 접근성이 매우 좋아짐에 따라 현재 강남 재건축 이주 수요로 인한 전세가 상승이 이어질 가능성이 높다.

신분당선 개통이 예정되어 있는 역을 따라 투자하는 전략이 필요하다. 투자자들이 투자하기 힘든 대형평수의 경우 시세가 아직 크게오르지않았다. 실수요자라면 2016년 개통예정인 신분당선 예정지를 중심으로 실수요를 생각해볼만하다.

투자를 피해야 할 곳으로는 경기도 시흥시,경기도 파주시, 경기도 화성시, 경기도 양주시가 있다.

이들 지역은 향후 입주 물량이 많거나 과거 입주물량은 많은 관계로 당분간 투자를 하지 않는 것이 좋다.

모든 지역이 상승하는데, 일부 이들 수도권 지역만 시세가 오르지 않을 순 없다. 이 때문에 투자를 해서 매매 차익을 얻을 수 없는 건 아니지만, 타 지역의 상승률보다 시간적으로 상승률이 낮을 것이기에 계속 모니터링하면서 향후 투자를 진행하는 것이 좋다.

서울을 중심으로 이들 지역보다 거리가 더 먼 지역은 당연히 투자 제외 대상이다.

Chapter

나만의 **아파트**
가치평가 노하우

나만의 아파트
가치평가 노하우

PIR로 접근한 수도권 아파트 가치 평가

대형마트에 가면 수많은 주부들이 서성이는 모습을 볼 수 있다. 하다못해 커피믹스 하나를 구매할 때도 신중하게 살펴본다. 이처럼 소비자는 항상 합리적이고, 값싸고, 질 좋은 상품을 선택하려고 한다.

값싸고 질 좋은 상품을 고르는 눈을 가진다는 것은 결국 물건에 대한 가치 평가를 한다는 뜻이다. 심지어 초등학생들도 가치 평가를 해서 값싸고 좋은 과자를 산다.

주식 투자에서는 PER(주가 수익 비율)을 기초로 가치 평가가 충분히 가능하다. 예를 들어 시가총액 1000억(주식 가격의 총액수)인 기업이 매년 1000억의 이익을 낸다면 PER은 1배가 된다. 만약 100억의 이익을 낸다면 PER은 10배가 된다.

그럼 투자자는 1000억의 이익을 내는 기업에 투자해야 수익률이 높을까? 100억의 이익을 내는 기업을 투자해야 수익률이 높을까?

1000억을 주고 산 기업이 매년 1000억을 벌어다 준다면 약 100%의 수익률을, 1000억을 주고 산 기업이 매년 100억을 벌어다 준다면 약 10%의 수익률을 얻을 수 있다.

이렇게 제품 하나를 구매하든지, 주식 투자를 하든지 간에 우리는 모두 가치 평가를 할 수 있고, 부동산 역시 이러한 가치 평가로 투자를 판단할 수 있다.

부동산시장의 가치 평가를 판단하는 수단으로는 PIR(Price Income Ratio)이 있다. PIR이란 아파트 가격을 연평균 도시 근로자 소득을 적용해 산출한 것이다.

예를 들어 PIR이 10이면 도시 근로자의 10년 치 소득을 이야기한다.

부동산의 싸다와 비싸다를 어떻게 구분해야 할까?

강남, 목동, 송도가 비싸다? 당연히 비싸다. 그 지역의 월 평균 소득, 연 평균 소득 비율이 상위이기 때문이다.

서울 강남과 목동? 송도? 부산 해운대? 소득에 따라 그 지역의 아파트 시세가 결정되는 법이다.

학군이라고 이야기하는데, 당연히 소득이 낮은 지역은 학군이 좋을 수가 없다.

과거 평균치를 보면 강남은 항상 PIR 15배 이상에서 거래됐다. 도시 근로자의 소득 대비 항상 높게 거래됐다는 것은 결국 소득과 학군이 높다는 것을 의미한다.

소득이 높은 지역에 거주하는 사람들은 자녀들에게 교육비를 더 쓸 수가 있다. 당연히 교육에 대한 비용이 타 지역보다 많이 소요되는 만큼 그 지역의 SKY 합격률이 높을 수밖에 없다.

반대로 지방의 경우 대도시에 비해 소득이 당연히 적기 때문에 아파트 시세 대비 PIR이 높게 거래되지 않는다. 항상 과거 평균 PIR을 벗어나지 않는 범위에서 움직이곤 한다.

현재 아르바이트생들이 1시간에 받는 최저임금은 얼마일까?

2007년 3480원이었던 최저임금이 2014년에는 4860원, 2015년에는 5580원이 됐다. 우리가 모르는 사이에 도시 근로자의 월 평균 소득은 매년 5%씩 복리로 늘어나고 있다.

72법칙으로 계산하면 5% 복리는 14.4년마다 두 배씩 늘어나게 되는데, 일정하게 5% 상승이 아니라 5 ~ 7%의 범위로 증가하기 때문에 12년에 두 배씩 소득이 늘어나는 셈이다.

2020년에 접어들면 1시간당 아르바이트생의 최저임금은 8400원이다.

8400원? 8400원으로 그때 시점에서 무얼 할까? 10년이 지나고 결국 현재 시점의 값어치로 음식을 사먹는 화폐 가치의 구실을 할 것이다.

부동산 투자는 이렇듯 소득의 증가를 눈여겨보아야 한다.

부동산의 싸다와 비싸다는 도시 근로자 월 평균 소득을 통해 구분할 수 있다. 과거 매매 사례를 근거로 하여 도시 근로자 월 평균 소득을 통해 미래가치를 적용할 수도 있고, 과거 사례와 비교해 충분히 저평가 여부를 가늠할 수 있기 때문이다.

인천광역시 아파트 가치 평가

과거 데이터와 현재 데이터를 종합하면 가치 평가를 할 수 있다. 미래 주택 가격에 대한 가치를 어떻게 수렴할 수 있는지 살펴보도록 하자.

구분	매매변동			전세변동		
	하한가	상한가	등락폭	하한가	상한가	등락폭
2014.11	24,000	30,000	↑ 3,250	17,000	19,000	↑ 2,000
2013.11	22,000	25,500	↓ 1,250	15,000	17,000	↑ 900
2012.11	23,000	27,000	↓ 1,500	14,200	16,000	↑ 2,100
2011.11	24,000	29,000	↓ 500	12,000	14,000	↑ 1,000
2010.11	21,000	33,000	↓ 4,000	10,000	14,000	↑ 750
2009.11	27,000	35,000	↓ 1,500	10,000	12,500	↓ 750
2008.11	28,000	37,000	↓ 2,000	11,000	13,000	0
2007.11	30,000	39,000	↑ 8,500	11,000	13,000	↑ 1,000
2006.11	23,000	29,000	↑ 1,500	10,000	12,000	↑ 1,750
2005.11	22,000	27,000	↑ 1,500	8,500	10,000	↑ 1,750
2004.11	20,000	26,000	↓ 2,000	7,000	8,000	↑ 500
2003.11	22,000	28,000	0	6,000	8,000	0

인천 중구 운서동에 위치한 금호 베스트빌 2단지의 시세이다.

2004년 이후부터 시세가 급등하기 시작하였다. 2억 6000만 원에 거래되던 시세가 2년 후 2억 9000만 원으로, 다시 2007년에 3억 9000만 원으로 수직 상승하였다. 그러나 2008년 시세 하락을 시작으로 2014년 12월 매매 상한가 기준 3억 원에 거래되고 있다.

앞으로 인천광역시 중구 운서동에 위치한 금호 베스트빌 2단지의 적정 가치는 얼마일까? 도시 근로자 소득을 근거로 가치 평가를 해 보도록 하자.

인천 중구 운서동 금호 베스트빌 2단지의 PIR의 고점은 2007년 8.9배였다.

2007년의 월 소득은 3,656,201원, 연간 소득은 4387만 원이다.

연간소득 4387만 원 * 8.9 = 3억 9000만 원이다.

즉 도시 근로자 연평균 소득 8.9년(PIR 8.9)의 소득이 과거 금호 베스트빌 2단지 아파트 시세의 최고치인 것이다.

과거 10년 평균치인 PIR 6배를 적용해 본 2020년 미래 가치는 4억 3500만 원이다. 2020년에는 4억 3500만 원이 아파트 매매 상한가 시세가 될 것이다.

최고치인 PIR 8.9배를 적용한 2020년 미래 가치는 무려 6억 4600만 원이 된다.(향후 물가 상승을 고려하여 도시 근로자 소득의 증가는 복리로 약 4%로 계산하여 적용한다.)

가계수지항목별	2004	2005	2006	2007	2008	2009	2010	2011	2012	2013	2014	2015	2016	2017	2018	2019	2020
	근로자가구	근로자가구	근로자가구	근로자가구	근로자가구	근로자가구	근로자가구	근로자가구	근로자가구	근로자가구	근로자가구	근로자가구	근로자가구	근로자가구	근로자가구	근로자가구	근로자가구
월소득(원)	3,112,474	3,252,090	3,444,054	3,656,201	3,900,622	3,853,189	4,007,671	4,248,619	4,492,364	4,606,216	4,780,000	4,980,000	5,170,000	5,380,000	5,600,000	5,820,000	6,050,000
연간소득	3735만원	3900	4133	4387	4680	4623	4808	5097	5390	5527	5736	5976	6204	6456	6720	6984	7260
PIR	7	6.9	7	8.9	7.9	7.48	6.86	5.68	5	4.6	5.1	8.9	8.9	8.9	8.9	8.9	8.9
아파트시세	26000	27000	29000	39000	37000	35000	33000	29000	27000	25500	30000	53200	55200	57500	59800	62500	64600

2007년 PIR 8.9배는 수도권 부동산 거품이 어느 성도 있었다고 판단할 수 있다. 반대로 2013년은 PIR 4.6배에 거래됐으므로 수도권 부동산 거품이 어느 정도 해소된 상태라 판단할 수 있다.

서울 아파트 가치 평가

서울 양천구 목동에 위치한 목동 신시가지 6단지 20평의 시세이다.

2003년 매매 상한 2억 3000만 원 거래되던 시세가 2년 후인 2005년엔 3억 원, 다시 2007년엔 5억 2000만 원으로 수직 상승하였다.

2008년 시세 하락을 시작으로, 2014년 매매 상한가 기준 4억 8000만 원에 거래되고 있다.

앞으로 서울 양천구 목동에 위치한 신시가지 6단지 20평의 적정 가치는 얼마일까? 도시 근로자 소득을 근거로 가치 평가를 해보도록 하자.

서울 양천구 목동 신시가지 6단지 20평의 PIR의 고점은 2007년 11.85배였다. 2007년의 월 소득은 3,656,201원, 연간 소득은 4387만 원이다.

연간 소득 4387만 원 * 11.85 = 5억 1985만 원이다.

구분	매매변동			전세변동		
	하한가	상한가	등락폭	하한가	상한가	등락폭
2014.12	44,000	48,000	↑ 4,500	21,000	27,000	↑ 4,500
2014.01	38,000	45,000	0	18,000	21,000	0
2013.01	38,000	45,000	↓ 3,500	18,000	21,000	0
2012.01	44,000	46,000	↓ 1,000	18,000	21,000	↑ 3,000
2011.01	44,000	48,000	↓ 3,000	15,500	17,500	↑ 1,500
2010.01	48,000	50,000	↑ 11,500	14,000	16,000	↑ 2,000
2009.01	35,000	40,000	↓ 9,000	12,000	14,000	↓ 250
2008.01	43,000	50,000	↓ 4,000	12,500	14,000	↑ 500
2007.01	49,000	52,000	↑ 21,000	12,000	13,500	↑ 2,250
2006.01	28,000	31,000	↑ 2,000	10,000	11,000	↑ 1,000
2005.01	25,000	30,000	↓ 1,500	9,000	10,000	↓ 1,000
2004.01	27,000	31,000	↑ 7,500	10,000	11,000	↓ 1,000
2003.01	20,000	23,000	↑ 4,250	11,000	12,000	↑ 250

즉, 도시 근로자 연평균 소득 11.85년(PIR 11.85)의 소득이 과거 목동 신시가지 6단지 20평 아파트시세의 최고치이다.

과거 10년 치 평균치인 PIR 9.3배를 적용한 2020년 미래 가치는 6억 7500만 원이며, 최고치인 PIR 11.85배를 적용한 2020년 미래 가치는 8억 6000만 원이다.(향후 물가 상승을 고려하여 도시 근로자 소득의 증가는 복리로 약 4%로 계산하여 적용)

이 역시 인천 아파트 사례와 동일하게 2007년은 수도권 부동산 거품이 어느 정도 있었다고 판단할 수 있다.

반대로 2013년은 수도권 부동산 거품이 어느 정도 해소된 상태라 판단할 수 있다.

가계수지항목별	2004	2005	2006	2007	2008	2009	2010	2011	2012	2013	2014	2015	2016	2017	2018	2019	2020
	근로자가구	근로자가구	근로자가구	근로자가구	근로자가구	근로자가구	근로자가구	근로자가구	근로자가구	근로자가구	근로자가구	근로자가구	근로자가구	근로자가구	근로자가구	근로자가구	근로자가구
월소득(원)	3,112,474	3,252,090	3,444,054	3,656,201	3,900,622	3,853,189	4,007,671	4,248,619	4,492,364	4,606,216	4,780,000	4,980,000	5,170,000	5,380,000	5,600,000	5,820,000	6,050,000
연간소득	3735만원	3900	4133	4387	4680	4623	4808	5097	5390	5527	5736	5976	6204	6456	6720	6984	7260
PIR	10.2	10.4	7.5	11.85	10.7	8.65	10.4	9.4	8.5	8.1	8.36	9.3	9.3	9.3	9.3	9.3	9.3
아파트시세	31000	30000	31000	52000	50000	40000	50000	48000	46000	45000	48000	55500	57700	60000	62500	65000	67500

Chapter

행복한 미래를 위한 투자전략

행복한 미래를 위한 **투자전략**

금리와 아파트 값의 관계

대부분 사람들은 저금리로 인해 아파트값이 상승했고, 금리가 인상되면 아파트값이 폭락한다고 생각한다. 그러나 아파트값의 상승을 만드는 힘은 저금리가 아니라 실물 경제의 회복이다.

2015년 현재 경제는 침체기를 벗어나 지속적으로 회복기에 접근하고 있다. 실물 경제의 회복이 이루어지면 금리는 조금씩 상승하게 된다.

금리가 상승하는 건 실물 경제의 회복을 이야기하는 것이지, 폭락을 이야기하는 것이 아니다.

실물 경제의 회복이 이루어지면 소득의 증가가 이루어지고, 부동산

구매력이 증가함으로써 수요가 증가한다. 아파트값이 오르면서 지속적으로 수요를 자극시키면 결국 거품이 생기기 마련이다.

이러한 사이클은 지난 수십 년간 반복되어 왔다. 단지 우리가 무심코 지나쳤을 뿐, 지금도 미래에도 계속 반복적으로 이루어질 것이다.

수도권 부동산의 투자전략

2008년 금융 위기는 역사상 최대의 화폐를 찍어냈다. 24시간 쉼 없이 달러를 찍어내 자국의 위기를 기회로 만들어냈고, 결국 이제 하나의 퍼즐 맞추기를 하기 위한 최저 시급 인상을 준비 중이다. 미국 오바마 행정부는 최저 시급 10.10달러를 목표로 법안을 의회에 제출해 놓은 상태이다.

최저 시급이 올라가게 된다면, 자연스럽게 소득이 증가하게 된다. 소득이 증가하면 소비가 늘어나고, 그로 인해 경제가 원활하게 돌아갈 수 있는 것이다.

최근 유가의 급격한 하락 역시, 기업 환경에 더욱 우호적인 조건을 형성하게 되었다. 진짜 부자들은 부두에 탱커선을 임대하여 몇만 톤씩 가득 석유를 채워, 향후 유가 상승에 따른 시세 차익을 실물로 보유 중이라는 기사도 보인다.

나 역시 향후 유가 상승이 이루어 질 것으로 예상하고 있다. 아마도 그 시점은 2016년 초 정도로 예상되며, 이는 미국의 금리 인상과 맞추어 서서히 진행될 전망이다.

유가 상승은 곧 대체에너지 산업의 발전 단가 및 원가율을 낮춤으로써 소비 수요에 값싸게 BEP(손익분기점)을 넘겨 공급이 가능하다. 유가 상승은 곧 풍력 산업, 태양광 산업, 전기차 산업의 시대를 도래하게 할 것이다.

이렇게 산업의 호황과 더불어 세계 경제는 다시 불황에서 호황 국면을 맞게 될 것이다. 또한 이는 재정 적자에 시달리는 미국 경제에도 우호적으로 작용할 것이다. 최저 시급의 인상 그리고 유가의 상승, 산업의 호황으로 인플레이션이 발생해 기업의 제품 가격이 인상되면, 국민들에게 아무런 반발 없이 세금을 거둘 수 있기 때문이다.

예를 들어 칠성사이다 1캔에 500원이었던 것이 제품 단가 인상으로 1캔에 1000원이 된다면 정부는 조용히 세금을 100% 거둘 수 있게 된다.

이러한 인플레이션의 시대가 개막되면서 부동산 시장의 흐름도 변화될 것이다. 현재 돈의 흐름은 지방에서 수도권으로 넘어왔다. 모든 투자가 그렇듯 가장 중요한 투자의 핵심은 사는 것보다 언제 매도하느냐 하는 것이다.

그럼 가장 중요한 수도권 시장은 현재 어디쯤 와 있는 것일까?

2013년 수도권 부동산 시장은 최저 바닥을 찍고, 2014년 제1국면(1차 상승기)에 접어들었다. 더불어 2015년에는 제2국면(2차 상승기)

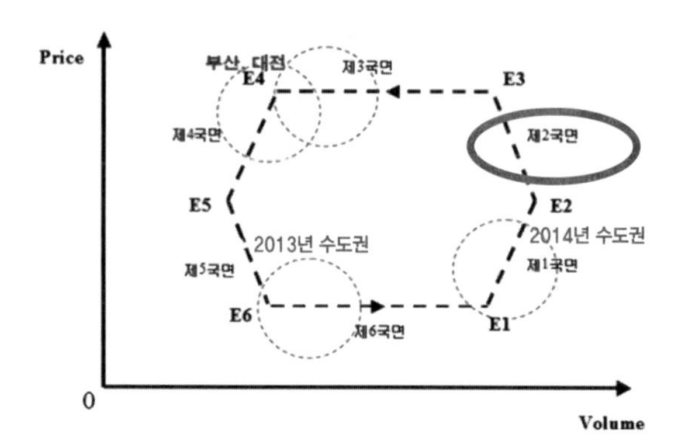

을 준비 중이다. 향후 제3국면과 4국면이 진행되는 시점과 매도 시점은 2018 ~ 2020년 사이가 될 것이다.

그 시점이 오면 우리는 과감하게 매도할 수 있어야 한다. 모든 투자 자산은 항상 일정한 상승과 하락을 반복하며 진행되는 패턴을 보인다.

그렇다면 왜 2015년이 수도권 부동산 시장의 제2국면이 될 것인가?

지역	2004년	2005년	2006년	2007년	2008년	2009년	2010년	2011년	2012년	2013년	2014년	2015년	2016년
서울시	62,530	53,996	47,722	37,178	55,385	30,662	35,679	36,511	19,088	22,902	37,259	19,833	12,100
경기도	125,360	94,652	90,645	75,430	87,014	110,675	115,042	62,222	62,681	51,010	50,729	69,184	56,716
인천시	17,810	21,225	13,793	30,451	15,450	16,177	18,527	22,299	26,380	10,709	10,472	11,679	7,349

2015년은 강남 재건축 이주 수요가 시작되는 해인데, 공급 물량이 상당히 적다. 2016년 역시 2015년에 비해 공급 물량이 매우 적다. 수요와 공급의 원리에서 공급이 없기 때문에 수도권 부동산 시장의 제2국면이 되는 것이다.

2차 상승 역시 시세 폭발은 그리 크지 않겠지만, 미리 투자를 선점

한 투자자는 즐길 수 있다.

항상 시세의 최대 분출은 항상 제 4국면에서 분출하게 되어 있다.

전국 아파트 신규 분양 물량 추이

2008년 금융 위기 이후 수도권 아파트 분양은 감소했다. 그로 인해 현재 공급 부족이 지속되면서 매우 심한 전세난이 계속되고 있는 것이다.

그런데 2015년 경기도의 분양 물량은 12만 8천 세대, 서울의 분양 물량은 5만 4천 세대에 이른다. 즉, 수도권 신규 분양이 총 20만 세대로 2007년 10만 6천 세대를 뛰어넘는 엄청난 분양 물량인 것이다.

새가슴인 투자자는 이 데이터를 하나로도 겁을 먹기 충분할 것이다. 공급이 많으면 시세는 힘없이 하락할 것이라 여기고 있을 테니 말

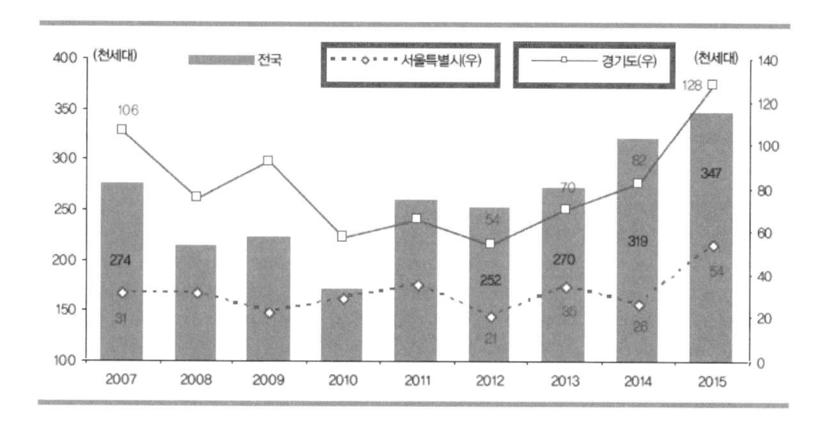

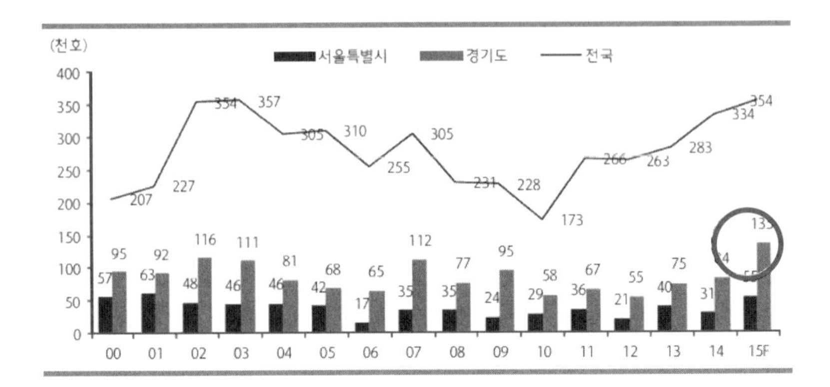

이다. 물론 이는 수요와 공급의 법칙에서 당연히 우리가 알고 있는 부분이긴 하다.

하지만 아직 겁먹지 않아도 된다. 우리가 모르고 있는 긍정적 변수가 존재하고 있기 때문이다.

2015년 4월부터 분양가 상한제를 폐지하면서 건설사들의 분양 물량 급증이 지난 15년간 신규 분양 최대치를 기록했다. 실제로 지난 15년간 수도권 신규 분양이 20만 가구에 육박했던 적은 단 한 번도 없었다.

평균적으로 아파트를 분양하고 입주하는 데 걸리는 기간은 3년이다. 그렇게 따지면 2018년부터 앞서 말했던 물량의 입주가 시작될 전망이다.

그렇다면 2018년부터는 하락이 시작되는 것일까?

수요보다 공급이 많으면 당연히 하락하겠지만, 향후 수도권 부동산

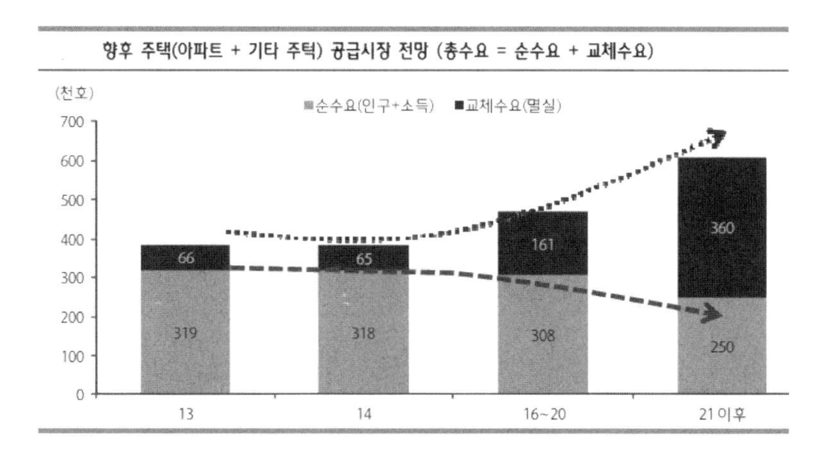

시장은 긍정적인 변수가 생길 예정이다.

시간이 흐를수록 노후화되는 멸실주택들의 증가로 예상했던 공급량이 초과되어도 수요와 공급이 일정하게 유지되는 기이한 현상이 발생하는 것이다. 이는 신도시 개발 택지의 주택 공급이 아닌 상당수의 물량이 기존 주택지에서 공급되기 때문에 일어나는 현상으로, 올해 신규 분양 물량 급증은 사실상 재건축/재개발이 주요 원인이다.

수도권의 택지는 무한정 공급될 수 없다. 사실상 2020년에 이르면 수도권 택지는 고갈될 가능성이 높다.

사업유형별 주택분양계획 (단위: 세대)

	계	임대	재건축/재개발	주상복합
2015	345,139	15,047	77,453	10,527
2014	330,815	58,176	39,261	11,549
2013	282,921	66,833	29,522	12,582

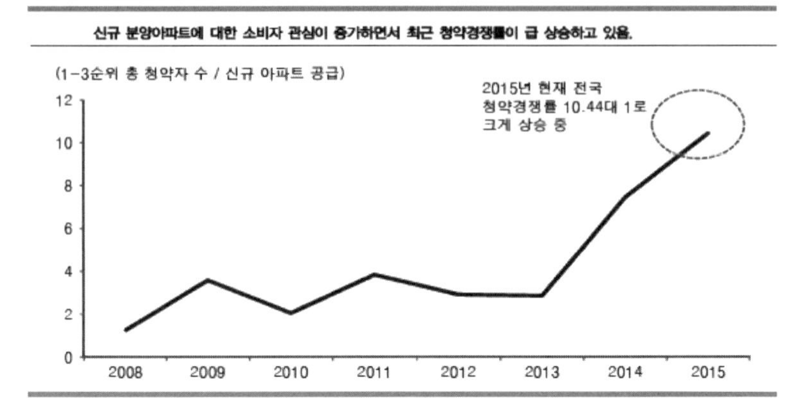

신규 분양아파트에 대한 소비자 관심이 증가하면서 최근 청약경쟁률이 급 상승하고 있음.

여기서 서울의 경우는 사실상 신규 택지의 공급이 멈춘 지 오래되었고, 현재 모든 공급이 재건축/재개발에서 이루어지고 있다.

실제로 2015년 재건축/재개발의 주택 신규 분양 계획은 총 77,453세대로 2013년에 비해 무려 100%가 증가한 수치이고, 이는 올해 전국 신규 분양 물량 예상치 34만 7천 세대의 20%에 육박하는 상당한 물량이다.

노후화가 진행된 기존 아파트를 허물고 새롭게 아파트를 재건축/재개발 하는 수요가 늘어날 수 있던 요인은, 2014년 1차 부동산 상승으로 인해 BEP(손익분기점)이 넘어서면서 교체 수요에 대한 욕구를 자극했기 때문이다.

그러나 이는 신규 주택의 공급이 아닌 기존 주택의 교체 수요로 재건축/재개발의 경우 신규 주택과 달리 공급 증가분이 크지 않다.

따라서 2015년 수도권 신규 분양 물량의 최대치에도 불구하고,

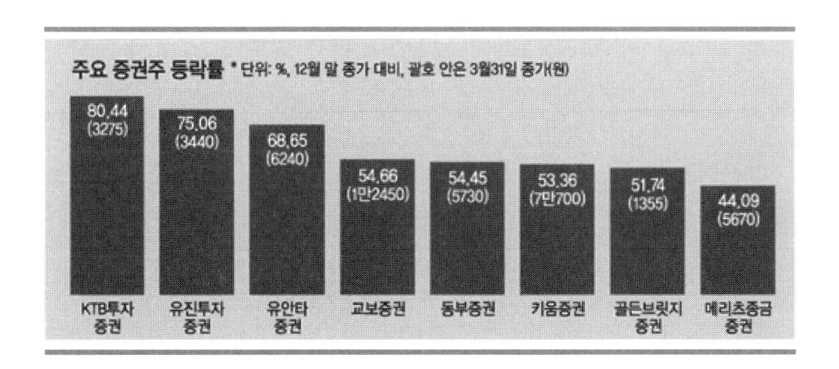

2016년 그리고 2017년 지속될 서울 강남권 재건축/재가발의 가속화는 향후 2018년 수도권의 수요와 공급을 맞물리게 할 가능성이 높다.

최근 신규 분양 아파트에 대한 청약 경쟁률이 전국 10:1을 돌파한 것도 분양가 상한제 폐지에 대한 신규 분양 아파트의 수요, 그리고 멸실주택에 대한 교체 수요 이 두 가지가 존재하기 때문이다. 더불어 정부의 저금리 정책이 투자 수요까지 이끌었다.

경기를 선행하는 주식 시장의 경우 고객 예탁금이 증가하고, 일일 거래 대금이 증가하면서 증권 회사 주식이 상한가까지 치솟는 등 심리적인 부분들이 개선되면서 돈의 흐름이 조금씩 안전 자산에서 이동되고 있는 모습을 보인다.

지난 수년간 침체에 빠져 구조조정을 진행했던 증권회사들이 연초 대비 40 ~ 90%까지 훌륭한 상승폭을 나타내면서 BEP(손익분기점)을 넘어서, 연간 순이익 역시 증가될 전망이다.

주식 시장, 부동산 시장이 활성화되면 두 개의 바퀴가 잘 굴러가게 된다. 이렇듯 시장의 심리적인 부분들이 개선되면 돈은 안전 자산에서 투자 자산으로 춤을 추듯 더 빠르게 이동한다.

그러나 그렇게 돈의 이동이 시작되면 조금씩 거품이 생겨나기 시작한다. 그리고 우리가 예상하지 못했던 문제점들이 하나둘씩 발생한다. 자산 거품 형성은 인간 본성에 따라 발생하게 되어 있다.

오랜 기간의 저금리로 인해 거품 형성의 필요충분조건이 갖추어져 있다. 저금리로 혜택을 본 시기만큼 다시 고통스러운 날들이 다가올 것이다.

전 세계의 경제를 꽉 잡고 있는 미국이 금리를 인상하기 시작할 텐데, 금리를 인상한다는 것은 세 가지 의미로 해석할 수 있다.

첫 번째는 경기가 회복되기 때문이다.

두 번째는 인플레이션을 잠재우기 위해서이다.

세 번째는 미국의 금리 인상은 미 달러화 가치의 상승과 달러 차입 비용의 상승을 의미한다.

인플레이션이 발생하면서 주식, 부동산, 원자재 등 모든 투자 대상에 거품이 조금씩 생겨나게 되는데, 이러한 영향을 잠재우기 위해선 금리 인상이 필수적이다.

현재 우리나라의 기준 금리는 1.75%이다. 그러나 향후 미국이 금리를 올리게 되면, 우리나라 역시 금리를 올릴 수밖에 없다. 금리 인상이 이루어지다가 어느 순간에 이르게 되면 금리 부담으로 투자 수익률은 급격하게 떨어지고, 가계의 이자 비용 지출액도 증가하게 된다.

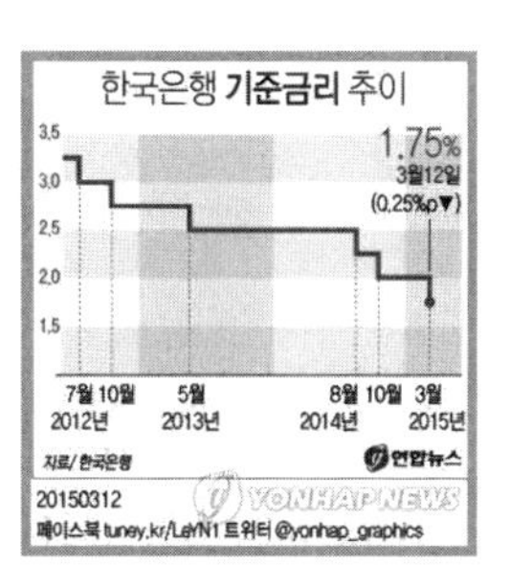

그렇게 되면 영원할 것 같은 부동산 상승도 금리 인상으로 하락하기 시작할 것이다.

미국은 2015년 올 하반기 첫 번째 금리 인상을 단행하기로 했다. 향후 점진적 출구 전략을 통해 속도를 느리게 조절하여 금리 인상을 시도할 예정인데, 만약 점진적 출구 전략이 아닌 빠른 금리 인상을 시도한다면 통화 위기로 인해 동남아 국가들은 제2의 IMF를 맞이할 수도 있다.

달러 자산을 미국으로 회귀시킴으로써 동남아 국가들의 달러 유출이 가속화되고, 그 여파로 환율의 급격한 변동 등 금융 혼란이 발생할 수 있기 때문이다.

미국은 자국의 보호 및 전 세계 국가들이 원활하게 돌아가기 위해 점진적인 출구 전략을 해야 한다. 통화 위기는 미국의 현명한 판단에 달렸다.

그렇다면 우리는 어떻게 대응해야 할까?

항상 투자는 일정한 패턴으로 불황과 호황이 반복된다. 계절로 비교한다면 봄 - 여름 - 가을 -겨울이 반복되는 것이다. 현재 수도권 부동산 시장은 봄을 지나 초여름에 접근하려 한다. 수도권 부동산 시장의 최대 상승폭을 가져오는 것은 여름을 지나 가을이 되는 시기이다. 수도권 부동산 수요와 공급에 있어 2018년은 매우 중요한 해가 될 것이다.

또한 미국의 움직임도 중요한데, 점진적인 출구 전략이 이루어진다면 수도권 부동산 시장의 수요와 공급의 법칙과 동일하게 2018 ~ 2020년 폭등을 맛볼 수 있을 것이다.

보수적인 투자자라면 미국의 점진적 금리 인상에도 불구하고 2017년 매도하여 시장을 관찰하는 전략이 필요하고, 공격적인 투자자라면 2018 ~ 2020년 상승에 차익 실현을 하는 게 좋을 것이다.

에코세대의 등장

1980년 그리고 1990년 집값 상승의 원동력은 전 세계적으로 베이비부머 세대였다. 1955 ~ 1965년에 태어난 베이비부머 세대의 원동력이후 세계 부동산시장은 거품이 사라졌지만, 조정 이후 다시 조금씩 꿈틀거리고 있다.

앞으로의 세계 경제는 지속적으로 불황을 겪을 것이고, 부동산 시장 전망 역시 불투명하고 어둡다. 그 때문에 베이비부머의 2세들인 에코 세대들은 쉽사리 내 집 마련에 나서지 못하고 있다. 1977 ~ 1993

년에 태어난 에코 세대들이 집을 구매하려 나선다면 어떻게 될까?

에코세대는 약 1000만 명이다. 에코 세대와 함께 눈여겨보아야 할 점은 현 정권에서 신도시 개발을 중단하기로 결정했다는 점이다.

향후 신도시 개발 중단은 지속적인 공급 부족을 가져올 것이다. 수도권 택지는 무한 공급할 수 있는 것이 아니다. 한정된 택지 공급 역시 끝이나 버린다면, 수도권은 더 이상 많은 인원을 수용할 택지조차 없어져 버려 부동산 가격 상승을 가져올 가능성이 높다.

2017년이 되면 어느 정도 2기 신도시들의 공급이 마무리되고, 2018 ~ 2020년 수도권은 에코 세대의 내 집 마련과 동시에 아파트 공급 부족, 수도권 택지 고갈로 폭등할 가능성이 있다.

그러나 상승을 거듭하면서 악재가 발생할 수도 있다.

미국은 지난 수년간 양적 완화를 통해 수많은 달러를 공급했다. 그러나 2014년 10월, 양적 완화 중단을 선언함으로써 향후 금리 인상은 시간문제이다. 미국의 첫 금리 인상이 이루어지면 전 세계는 일정한 공포에 휩싸일 수도 있다.

하지만 이러한 공포는 잠시 후 개선될 가능성이 높다. 미국이 금리를 인상한다는 것은 경기 회복의 신호이고, 첫 번째 금리 인상의 충격이 어느 정도 소화가 된다면 전 세계의 경기회복은 정상적으로 작동될 것이기 때문이다.

악재가 발생하더라도 흔들리지 않는 마음가짐도 중요하다.

경제공부와 인간의 심리

부동산 투자를 잘하기 위해서는 거시적인 경제의 흐름을 잘 읽어야 한다. 전 세계 부동산 경기의 흐름은 물론, 주식 시장의 동향도 체크해야 한다. 또한 신문 기사를 매일 읽어 대중의 관심이 얼마나 집중되는지도 체크해야 한다.

모든 자산에는 항상 거품이 만들어지기 마련이다. 그 거품의 척도를 우리는 뉴스 및 기사를 통해 쉽게 파악할 수 있다.

수많은 건설사들이 도산한다는 기사를 읽고 어떤 생각을 가져야 할까? 건설사의 도산은 건설업 및 경제가 그만큼 안 좋게 돌아간다고 보아야 한다.

미분양 주택이 늘어난다는 기사를 읽고 어떤 생각을 가져야 할까? 미분양 주택이 늘어나는 것 역시 부동산 침체가 지속되는 것을 알 수 있다.

실업률이 올라가면 어떤 생각을 가져야 할까? 경제가 좋지 않아 실업률이 올라가는 것으로 판단할 수 있다.

모든 투자는 좋은 시점에 하는 것이 아니라 나쁜 시점에 해야 한다.

늘어나는 건설사의 도산? 늘어나는 미분양? 높아지는 실업률? 이 모든 것이 훌륭한 투자 시점인 셈이다.

반대로 줄어드는 건설사의 도산? 미분양 주택의 소진? 낮아지는 실업률? 이 모든 것은 투자의 종료를 생각해야 할 시점이다. 인간의 심리는 불황에 투자하는 것보다 호황에 투자하도록 되어 있다.

최근 지속된 불황에 시중 대기 자금은 방향성을 잃고 대기 중이다.

삼성SDS, 제일모직의 공모주 청약에 수백조 원의 돈이 몰리는 것 역시 방향성을 잃어 심리적으로 안정적인 투자를 하지 못하고 떠돌아다니는 대기 자금들이 많다는 뜻이다.

우리의 인생이 반복적인 삶을 살아가는 것처럼 경기의 흐름은 반복적인 순환을 지속하고, 인간의 심리도 반복적인 패턴을 보인다.

모든 자산은 인간의 심리가 반영되어 변동성을 가져오게 되어 있고, 우리는 그러한 심리를 불황에 투자하도록 노력하고 설계해야 한다.

금리 상승에 대비하라

금리는 항상 일정하게 유지되는 것이 아니라 항상 변동한다. 낮은 금리는 다시 고금리로 돌아가고, 또다시 저금리로 순환을 반복하게 되어 있다.

실투자금을 소액으로 투자하는 부동산 투자의 경우 금리 상승은 큰 영향을 미친다. 금리 상승은 대출금의 이자 상승으로 이어지고, 1%의 상승은 상당한 영향을 가져온다.

예를 들어 매매가 1억 5000만 원의 아파트를 매입하여 전체의 70%인 1억 500만 원을 대출 받았다고 하자.

1억 500만 원의 대출을 받은 사람의 이율이 5%라면 매달 437,500원의 이자를 내지만 금리가 상승하여 5%에서 7%로 상승하면 매달

612,500원의 이자를 내야 한다.

여기서 보증금 2000만 원을 제외한 실투자금을 2500만 원으로 계산하면

매매가	대출금(70%)	이자(5%)	보증금	실투자금	월세	순이익금	수익률
150,000,000	105,000,000	437,500	20,000,000	25,000,000	600,000	162,500	7

매매가	대출금(70%)	이자7%	보증금	실투자금	월세	순이익금	수익률
150,000,000	105,000,000	612,500	20,000,000	25,000,000	600,000	-12,500	-1

금리가 5% 당시에는 2500만 원을 투자해 매달 162,500원의 수입이 발생하지만, 금리가 7%로 오르면 매달 -12,500원의 적자가 발생한다.

따라서 처음부터 금리 상승이 어느 정도까지 진행되어도 연 수익률을 낼 수 있는지 미리 감안하여 부동산을 매입한다면 금리 인상 시기에서 자유로울 수 있다.

또한 처음부터 부동산을 매입할 때 향후 대출금리가 7%까지 올라도 임대 수입이 적자가 아닌 물건에만 투자한다면 금리 상승에도 자유로울 수 있다.

나는 부동산을 매입할 때 이러한 조건을 충족하는 부동산에 투자한다. 부동산은 대출을 이용한 레버리지를 잘 활용해야 한다.

금리인상을 준비하지 않고 무턱대고 부동산을 매입한다면 향후 임대 수입이 적자로 변했을 때, 보유한 부동산들 모두 위험에 빠질 수 있다.

부동산은 항상 협상이 필요하다

2012년 가을 무렵 후배에게 제주도 빌라를 추천해줬다. 제주도는 지난 몇 년간 신규 공급이 없어 수요가 급증하는 추세였다. 그래서 후배에게 최소 3000만 원정도의 차익을 예상하고 이 빌라를 추천해준 것이다.

내가 추천한 빌라는 빌라임에도 불구하고 세대수가 많고 여러 동으로 이루어져서 향후 매각 역시 어렵지 않고, 인근에 초등학교와 고등학교가 있으며, 도로가 더 넓어질 계획이 잡혀 있어 향후 가치 상승이 예상되는 곳이었다.

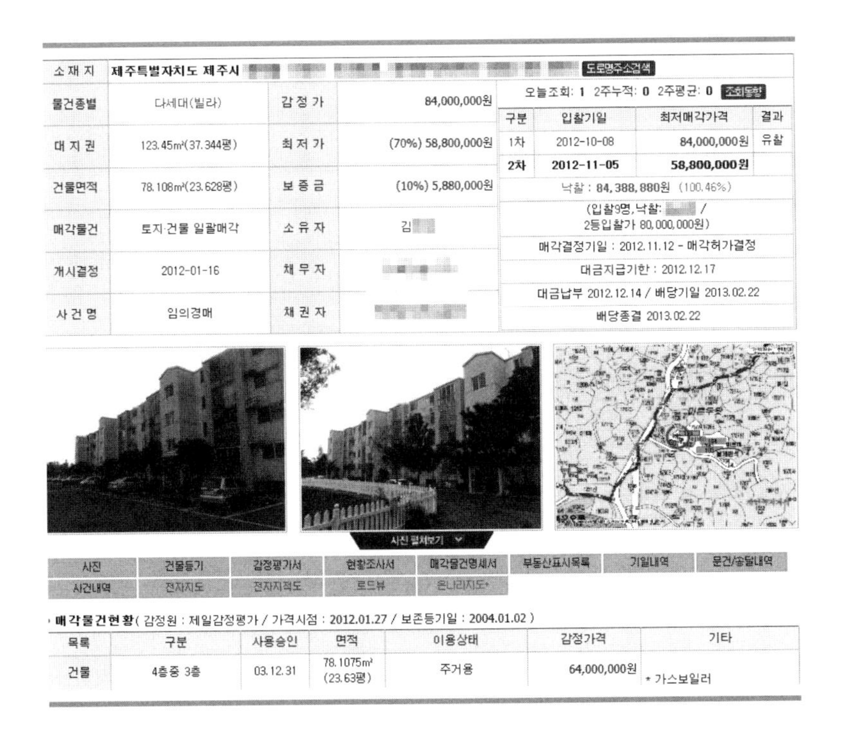

소재지	제주특별자치도 제주시		
물건종별	다세대(빌라)	감정가	84,000,000원
대지권	123.45㎡(37.344평)	최저가	(70%) 58,800,000원
건물면적	78.108㎡(23.628평)	보증금	(10%) 5,880,000원
매각물건	토지·건물 일괄매각	소유자	김
개시결정	2012-01-16	채무자	
사건명	임의경매	채권자	

도로명주소검색

오늘조회: 1 2주누적: 0 2주평균: 0 조회동향

구분	입찰기일	최저매각가격	결과
1차	2012-10-08	84,000,000원	유찰
2차	**2012-11-05**	**58,800,000원**	
낙찰 : 84,388,880원 (100.46%)			
(입찰9명,낙찰: / 2등입찰가 80,000,000원)			
매각결정기일 : 2012.11.12 - 매각허가결정			
대금지급기한 : 2012.12.17			
대금납부 2012.12.14 / 배당기일 2013.02.22			
배당종결 2013.02.22			

매각물건현황(감정원 : 제일감정평가 / 가격시점 : 2012.01.27 / 보존등기일 : 2004.01.02)

목록	구분	사용승인	면적	이용상태	감정가격	기타
건물	4층중 3층	03.12.31	78.1075㎡ (23.63평)	주거용	64,000,000원	* 가스보일러

후배는 27평형 빌라를 8400만 원에 낙찰 받았다.

그후 2014년 12월 생활 정보지 광고를 보고 찾아온 매수인에게 1억 4300만 원에 매매 계약서를 쓰기 위해 주말에 만나기로 했다는 얘기를 들었다.

나는 후배와 통화를 하면서 물어보았다.

"가계약금은 받았어? 가계약금도 안 받고 당일 날 매매계약을 할 때는 계약이 파기되는 경우가 있어서 가계약금을 받는 게 좋을 텐데?"

"아, 형. 그게 내가 바쁘고 그래서 그냥 주말에 만나서 쓰기로 했어요. 집도 3번이나 찾아와서 살펴봤기 때문에 별 문제 없이 계약할 거 같아요."

나는 매매 및 임대차계약에 대해 여러 가지 경험을 해 봤기 때문에 불안감이 밀려왔다.

매매계약 당일 후배와 매수인이 만나는 장소에 나도 같이 가기로 했다. 매수인은 경기도 과천에 거주하다 제주도로 7년 전 이주하여 게스트하우스를 운영하고 있었다.

7년 전 제주도 토지와 주택을 매입해 재미를 좀 보았고, 아들 역시 게스트하우스를 운영하고 있다고 했는데, 이번 계약은 결혼하는 아들에게 주는 선물인 셈이었다.

일단 중개인이 없는 개인 VS 개인의 매매가 시작됐다.

매수인은 벌써 1억 4500만 원에 내놓은 빌라를 200만 원 깎아서 1

억 4300만 원에 계약하기로 했다. 대부분 집을 살 때는 소비자 가격이 아닌 할인 개념을 생각한다.

그러나 매수인은 오히려 200만 원의 할인이 마음에 들지 않은 듯했다.

"우리 아들이 그 집에 살아야 출퇴근이 편하고, 곧 결혼할 거라 사는 건데 내가 좀 많이 깎지 않았어요? 근데 집에 커튼은 놓고 가기로 한 거 맞죠?"

후배는 그 부분에 대해서는 잘 모르겠다며 부모님께 연락했다.

그러나 부모님은 커튼의 일부만 놓고 갈 수 있다고 하셨고, 매수인은 그 이야기를 듣고 화를 냈다.

"아니, 다 놓고 가기로 한 걸 이제 와서 일부만 놓고 간다고 하니 원! 내가 많이 깎은 것도 아니고! 이거 기분 더러워서 계약할 마음이 안 생기네!"

만약 후배가 가계약금을 받았다면 어떻게 됐을까?

부동산 거래는 말 한마디에 100 ~ 1000만 원의 금액을 더 받을 수도, 더 깎을 수도 있다. 매매의 경우 어느 정도까지는 최대한 양보를 하는 자세가 필요하며, 항상 많은 말을 하지 않는 것이 유리하다.

그리고 만약 중개인이 있다면 어떻게 됐을까.

중개인은 수많은 거래를 해왔기 때문에 알아서 잘 중재를 할 수 있었을 것이다.

제주도 빌라의 경우 역시 중개인이 없는 상태에서 개인 간의 거래를 하다가 협상 실패가 되어 버렸는데, 실패의 원인은 매수인, 매도인 모두에게 있다.

세상 누구나 나에게 유리한 조건을 내세워 거래하고 싶어 하는데, 이 둘의 충돌이 결국 실패로 이어진 것이다.

매수인은 집이 필요하고, 매도인은 집을 팔고 싶어 한다. 계약을 하기 전에 충분히 서로 양보하는 마음가짐을 가지고 협상을 준비한다면 충분히 거래를 잘 이끌어나갈 수 있다.

만약 커튼을 놓고 가기로 했는데 매수인은 오히려 이를 거부하고, 매도인은 기분 좋게 100만 원을 더 깎아줬다면 어떻게 됐을까?

부동산은 현금화가 쉽지 않은 투자 대상이므로, 이제 후배는 또 새로운 협상을 통해 제주도 빌라를 정리해야 한다.

부동산(不動産)은 한문으로 '움직이지 않는 재산'이라는 뜻을 가지고 있다.

움직이지 않는 재산을 팔기 위해서는 싸게 사는 것도 중요하지만, 잘 파는 것도 매우 중요하다.

부동산 매매 및 임대를 위한 최소한의 투자

집을 팔기 위해

임차인이 이사를 가는 경우에는 공실로 놔두는 경우가 대부분이다. 이 때문에 여기저기 쓰레기가 굴러다니고, 싱크대와 화장실에서는 찌든 때와 악취가 진동하는 경우도 있다.

청소 전문 업체에 의뢰하여 전문적인 청소를 하든가, 스스로 어느 정도 깨끗하게 집을 청소해놓으면 생각 외로 빠른 처분이 가능하다.

대부분 전등과 콘센트를 교체하지 않는 경우가 많은데, 전등을 교체하면 저녁에 방문하여 집을 보게 될 경우 집이 매우 환하고 깨끗하게 보인다.

또한 콘센트의 경우 시간이 지나면 누런색으로 변색되는데 이를 전등과 동시에 같이 교체하면 새집처럼 연출이 가능하다.

전등과 콘센트 같은 경우 온라인을 통해 매우 저렴하게 매입할 수 있고, 누구나 손쉽게 교체가 가능하다.

이렇게 사소한 부분에도 투자를 하지 않고 매매를 하려고만 하면 과연 잘 될까?

부동산은 콘크리트 덩어리에 불과하지만 도배를 통해 옷을 입는 것과 마찬가지이다. 전등은 눈이 되고, 콘센트는 다리 역할을 하는 것이다.

임차인을 놓기 위해서도 마찬가지로 이 둘의 교체는 필수적이다. 청소도 해놓지 않고 누런색의 전등과 콘센트가 있는 집을 매매나 임대를 얻으려고 하는 사람은 분명 없을 것이다.

집의 매매와 임대가 수월하게 진행되지 않는다면 이는 다 본인의 잘못이다. 조금만 신경 써도 남들보다 유리하게, 최소한의 투자를 통해 얼마든지 쉽게 매매와 임대를 진행할 수 있다.

부자가 되려면 인내심을 가져라

주식이나 부동산 등의 투자를 하는 데 있어서 손실을 입고 견뎌내는 인내의 시기도 중요하지만, 투자가 성공하여 이익이 발생하기 시작할 때의 참고 견뎌내야 하는 인내의 시간이 훨씬 중요하다.

통상적으로 투자 수익의 80 ~ 90%는 전체 보유 기간의 1 ~ 10%의 기간 동안에 발생하는 경우가 많은데, 대부분의 사람들이 이 마지막 상승을 놓치는 경우가 많다.

인내심을 가지고 견디는 것은 투자 수익률을 결정하고, 노력한 결과물로 나타낼 수 있을 만큼 매우 중요하다. 시세의 하락과 상승을 참고 견디는 것도 어렵지만, 적정한 가치를 찾아가는 과정을 견디어야 하는 인내의 시간이야 말로 매우 중요한 것이다.

예를 들어 현금성 자산이 1억이 있다고 가정하자.

정말 좋은 투자 대상 없다면 몇 년이고 참고 기다리는 인내의 시간이 필요하다.

인간은 항상 36.5도의 체온을 유지해야 생명이 유지되는데, 체온이 1.5도만 내려가도 심장, 뇌, 폐 등의 기능이 현저히 떨어지고, 체온이 25도 이하로 내려가면 사망에 이른다.

이처럼 우리 몸의 체온을 항상 36.5도로 유지해야 살 수 있는 것처럼, 투자의 마음가짐 역시 일정한 온도로 접근해야 한다.

시세의 하락과 상승 속에도 일정한 체온을 유지한다면 인내의 시간을 적절하게 유지할 수 있고, 이는 곧 부자가 되는 지름길이 될 것이다.

북한이 붕괴된다

북한이 붕괴된다? 통신과 인터넷의 발전은 많은 것을 가져왔다. 전 세계 어디에서 손쉽게 연락을 주고받을 수 있고, 정보도 얻을 수 있다.

중국은 과거 공산주의 국가였지만, 개방 후 자본주의 물결이 밀려들며 빠른 속도로 세계 경제 중심에 다가서고 있다.

중국과 영토가 붙어 있는 북한 역시 중국의 이러한 자본주의 변화 물결에 휴대폰의 사용 및 중국 한국의 물자를 공급받으며, 더 이상 북한 정부가 주민을 속이기에 어려운 상태에 놓여 있다.

현재 북한 장마당이 경제에 있어 미치는 역할은 상당하다.

개성공단에서는 하루 2개의 초코파이를 근로자들에게 나누어 주는

데, 이는 장마당으로 유통되는 경우가 대부분이다. 장마당에서의 초코파이는 식량과 바꿀 수 있을 정도로 상당한 가치가 있다.

초코파이는 북한 징마딩에서 비싸게 팔리며, 이 사실이 남과 북 주민 모두에게 알려지자, 북한 당국은 돌연 초코파이 금지령을 내렸다.

주변 국가들의 이해관계가 서로 얽혀 있는 상태여서 통일은 어려울 것이나, 북한은 붕괴로 인해 자본주의 사회로의 변화가 가능할 것이라 생각된다.

이전 정권 및 현 정권에서 통일은 대박이다, 라는 표현을 사용하는 것 역시 향후 북한의 붕괴가 앞으로 10년 이내 충분히 가능한 이야기라는 것을 뒷받침한다.

붕괴를 가져오기 위해서는 무엇보다 에너지 가격 상승이 이루어져야 하는데, 현재 유가는 배럴당 40불 수준이나, 2018년경에는 유가는 배럴당 100불 수준에 접근할 것으로 예상된다.

이는 최근 급격한 유가 하락으로 인해 향후 세계 경제가 회복세로 돌아설 때, 충분한 증설 및 자원 개발을 하지 않는 것이 원인이 될 수 있다.

향후 급격한 유가의 상승은 북한 경제에 치명타가 될 수 있고, 결국 지속되는 개방 개혁 물결에 붕괴되는 것은 시간문제일 뿐이다.

북한의 붕괴와 부동산 투자

북한이 붕괴되면 북한은 새로운 자본주의 국가로 발전할 것이고, 경제력이 있는 주민들은 남한으로 내려와 살기를 원할 것이다.

그들은 남한과 가까워 여러 가지 인프라 및 혜택을 받을 수 있는 지역을 찾을 것인데, 현재 접경 지역과 가까운 파주 지역은 향후 붕괴로 인해 토지 가격이 급등할 가능성이 높다.

전설적인 투자가 짐로저스는 지난 수년 전부터 북한에 모든 재산을 투자하고 싶을 만큼 북한이 매력적이라고 표현했다. 그 역시 접근 지역 토지에 투자하고 싶어 했으나, 외국인이라 거래가 쉽지 않은 것은 물론이고 현금화조차 쉽지 않아 대신 북한의 금 동전에 투자했다고 한다.

많은 사람들이 부자가 되길 원하지만, 대부분의 사람들은 원하기만 하지 부자가 되려고 행동하지는 않는다.

실제로 짐로저스는 투자를 하기 위해 북한을 여러 번 방문하기도 했다.

현재 접경 지역의 민통선 토지는 평당 100원 ~ 10만 원까지 입지에 따라 가격 차이가 많이 난다. 접경 지역의 버려진 토지는 수도권에서 자동차로 1시간 이내에 위치한 곳이다.

하지만 접경 지역의 토지는 과거 분단 이전에 소유권이 불분명한 사례들도 있을 수 있어, 향후 북한의 붕괴 후 여러 가지 소송에 휩싸일 수도 있다.

그러한 리스크를 생각하여 일반 매매를 통한 거래는 절대로 이용하지 말고, 법원 경매를 이용하여 부동산을 매입하는 게 좋다.

또 1필지가 몇천 평을 넘어가는 것은 투자를 피해야한다. 필지의 크기가 크면 나중에 매매하기도 수월하지 않고, 장기적인 측면에서 투자해야 하기 때문에 유동성이 부족한 토지투자에서 매우 힘든 시기를 겪을 수 있다.

이처럼 접경 지역의 토지는 현금화가 어렵고, 매우 장기로 접근해야 하기 때문에 꼭 유의해야 한다.

수억 원의 자산을 투자하는 게 아니라 몇백만 원 혹은 몇천만 원 수준으로도 충분하다. 북한이 붕괴된 후 접경 지역 토지는 현재 시세보다 수십 배는 오를 가능성이 매우 높다.

부자가 되려면 남들과 달라야 한다. 남들과 똑같은 길을 가려고 하면 성공할 수 없다. 오늘 나무를 심는 것은 10 ~ 20년 후의 미래를 내다보는 것이다. 북쪽에 나무를 심어보자.

아들에게

원준아, 너는 대기업 직원이 되지 말거라. 대기업의 직원이 된다면 하루 종일 일만 하느라 돈 벌 시간이 없다.

또 가족들과 하루 종일 같이 있을 수 있는 시간은 법적으로 주어진 휴일밖에 없다. 그들은 너에게 휴식을 제공하고 지식을 가르치겠지만, 그것은 오직 너에게 더욱 일을 시키기 위한 것이다.

인생은 유한하단다. 돈과 시간 가치의 교환에 대해서 곰곰히 생각해보길 바란다. 세상 사람들은 좋은 학교를 졸업해 좋은 직장에 들어가 열심히 일한 뒤 은퇴하여 살아가는 것이 최고라 여기지만, 아빠는 그렇게 생각하지 않는다. 네가 이 세상에서 가장 하고 싶은 일, 네가 가장 시간을 투자하고 싶은 일을 하면서 살아가거라. 네게 주어진 인생은 단 한 번뿐이다.

아빠는 예를 들어 네가 망고를 키우는 농부가 되어도 좋겠다. 스스로 망고를 키우는 재미와 더불어 수확의 기쁨도 느낄 수 있을 테니 말이다.

누군가를 위해 일하는 삶은 결국 돈 때문에 너의 소중한 인생을 교환하는 것이란다.

또한 낯선 중개인들과 친해지지 말고, 항상 오랜 기간 거리를 유지해라. 주식, 부동산 중개인 모두가 전문지식이 있는 게 아니다. 모든 중개인들의 가장 큰 목적은 수수료를 챙기는 데 있다.

또 돈을 벌고자 하는 큰 욕심은 버려야 한다. 욕심이 앞서 투자를 한 번 잘못하면 돌이키는 데 많은 시간이 걸린다.

무엇이든 하나씩 밟고 올라가다 보면 정상이 보이기 마련이다.

너의 지식이 부족하다면, 그 방면에서 최고 지식을 가진 사람을 찾아가 배워 보도록 해라. 산을 올라가는 데 수십 년간 산을 지킨 산지기보다 지름길을 더 잘 아는 자가 없는 것처럼, 그 방면에 대한 최고지식을 가진 사람을 찾아가 배운다면 너는 지름길을 알게 될 것이다.

아빠에게 무슨 일이 생겨 혹 세상에 없다고 해도 외로워하지 마라. 아빠가 너를 위해 이렇게 글을 남겨놓으니, 힘들고 외로울 때마다 이 글을 읽어보며 항상 아빠가 곁에 있다고 생각하거라.

네가 벌써 4살이 되었구나. 원준이가 초등학생이 될 즈음 아빠는 불혹의 나이를 넘어설 테지.

만약 아빠에게 무슨 일이 생기면 아빠가 세상에서 가장 신뢰하고 , 가장 고맙게 생각하는 투자의 천재 카네사다 님에게 아빠의 자산을 위탁할 것이다. 항상 카네사다 님과 투자를 함께하며, 큰 결정을 할 때 항상 조인을 얻으려무나.

또한 투자 공부를 게을리하지 말아야 한다. 투자 공부는 무엇보다 너의 삶을 윤택하게 하고, 돈에 대한 모든 것을 배울 수 있는 좋은 공부다.

『현명한 투자자』 워런 버핏, 프랭클린의 책을 꼭 읽어보고, 코스톨라니의 책도 꼭 읽어 보거라. 아빠의 서재에는 네가 읽으면 도움이 될 책들이 가득하다.

네 시대에는 여러 가지의 부동산 투자 방식이 어떻게 변화될지 모르겠지만, 가장 중요한 것은 첫째도 입지, 둘째도 입지, 셋째도 입지다. 입지가 가장 최선호인 상가 건물 1층을 매입하거라. 주거용 부동산은 여러 가지 신경 쓸 게 많지만, 상가 건물은 어려운 게 별로 없다. 재 투자 비용이 필요하지 않으면서 환금성이 좋고 현금흐름이 뛰어난 부동산이 최고다.

모두가 좋은 위치로 생각하는 수익률이 좋은상가 건물 1층을 2 ~ 3개만 보유해도 네가 이 세상을 살아가는 데 경제적으로 어려운 일은 없을 것이다.

일반 사람들은 상가를 매입할 때 담보대출을 무서워하며 꺼려하지만, 안정적인 현금 흐름이 있는 부동산 담보 대출은 좋은 빚이다.

아빠는 이 글을 쓰는 현 시점에도 수십억이 넘는 좋은 빚이 있고, 이를 활용해 돈을 만들어내고 있다.

원준이 시대에는 여러 가지의 주식 투자 방법이 생겨나겠지만, 그저 단순하고 이해하기 쉬운 것에만 투자하거라.

세월이 흘러 50년이 지난 시점에도 네가 어릴 적 좋아하던 롯데마트, 이마트, 베스킨라빈스는 존재할 것이고, 이렇듯 네가 잘 이해할 수 있는 쉬운 투자에만 집중하길 바란다.

삼성전자는 10조 원을 벌기 위해 훌륭한 인재를 고용하고, 끊임없이 연구하고, 새로운 라인을 설치하고, 설비 투자를 위해 다시 10조 원을 투자해야 하지만, 네가 어린 시절 좋아했던 롯데마트, 베스킨라빈스는 큰 설비 투자 없이 지속적으로 현금을 벌 수 있다.

오랜 기간 장수하며 시장에서 1위의 지배력을 가진 기업이 주식시장에 상장되어 배당까지 두둑하게 준다면, 네가 매달 꾸준히 적립식으로 동업자의 자세를 가지고 투자해야 할 기업이다.

마지막으로 돈은 아껴 쓰기보단, 꼭 필요한 가치가 있는 곳에 사용하면 좋겠다.

원준이를 사랑하는 아빠가

에필로그

성공한 삶을 살기 위해

불과 몇 년 전만 해도 나는 제주도의 어느 바닷가에서 멍하니 낚싯대를 드리우고 있었다.

주식투자로 많은 것을 잃고 상심에 젖어있던 내게, 부동산투자는 새로운 세상을 열어주는 계기가 되었다.

대부분의 사람들은 인생을 자기 자신을 위한 삶을 살지 않고,

누군가를 위해 돈과 시간을 교환하며 인생의 가치를 잃어버린다.

우리의 인생은 단 한번이기 때문에 다른 사람을 위한 삶이 아니라 하루빨리 경제적 자유를 얻어 삶의 가치를 높이는 게 중요하다.

나는 학창시절 거의 하위권 성적이었고 ,지방대학 4학년 마지막 학기를 남겨두고 휴학 중이었다. 나의 부모님은 평범한 회사원이셨기에

집안의 여유가 있는 건 더더욱 아니었다.

그랬던 내게 투자는 인생의 큰 변화를 주는 전환점이 되었다.

부동산 투자를 시작하면서 '적은 자본으로 쉽게 돈을 벌 수 있구나!'라고 생각했다.

이러한 생각을 할 수 있었던 건 오랜 기간 주식을 현금위주로 투자를 하여 레버리지를 전혀 활용하지 않았기 때문이다.

20대 후반부터 수많은 부동산 관련 서적을 모두 읽고 경매물건의 낙찰가와 수익률을 분석했다. 부동산 투자가 워낙 광범위하기에 내가 잘할 수 있는 투자분야를 선택하고, 제대로 이해할 수 없는 분야는 절대로 하지 않았다. 그래서 아파트 투자에 집중하게 된 것이다. 그리고 투자지역이 정해지면 한두 채씩 매입하지 않고, 과감한 행동력으로 한 번에 수십 채씩 거둬들였다.

물론 투자를 하면서 가끔은 힘든 상황에 부딪히기도 하였다. 하지만 여러 번의 시행착오, 경험, 공부를 통해 부동산시장에서 지속적으로 좋은 성과를 올릴 수 있는 수준으로 성장하였다. 수많은 경험들이 나를 더욱 강하게 만들었고, 그 결과 지난 수년간 전국을 돌아다니며 경매와 일반매매를 통해 큰 수익을 거뒀다.

실수를 하지 않으면 좋겠지만 누구든 첫 술에 배부를 수 없고, 고수가 되기 위해선 시간과 경험 그리고 공부가 필요하다. 이 책을 통해 적어도 내가 겪었던 시행착오는 피할 수 있게 되고, 혼자서 공부하여 투자의 기준을 마련하려면 최소 몇 년이 소요되는 것을 짧은 시간으로 단축할 수 있을 것이다.

자본주의 시장에서 끊임없이 기회를 맞이할 수 있으므로 계속 공부하며 준비해야 한다. 준비된 자만이 기회를 살리고 성공한 삶을 살 수 있는 것이다.

향후 부동산 시장에 관한 소고

현재 수도권 부동산 시장은 2013년 바닥을 다지고, 2014년 1차 상승 후 다시 2차 상승이 진행 중이다. 수도권 전세가는 하루가 다르게 상승하고 지난 수년간 부동산 침체로 인한 공급부족은 2015년에 이어 2016년까지 지속될 것이다.

그렇기에 2015년은 의미가 있는 해이다. 수도권 신규 분양 물량이 최대치를 기록하였고, 대부분 이 물량들이 2년6개월에서 3년이 되는 시점에 쏟아질 것이다. 그로 인해 신규 물량이 입주되는 시점인 2018년까지 수도권 부동산 시장은 안정적인 상승을 보여줄 것이다.

향후 부동산 시장에서 수요와 공급부족 그리고 저금리는 시간이 지날수록 서서히 거품을 만들어낼 것이다. 따라서 2018년 수도권에 쏟아질 입주물량으로 부동산 시장은 상승과 하락의 변곡점이 될 것이다.

하지만 서울의 재건축으로 인한 멸실 주택의 발생은 추가 수요를 만들어내고, 재건축 공사기간 동안 공급이 제한되는 부분, 정부의 신규 신도시 공급 중지 결정, 수도권 택지의 고갈 그리고 1000만 명에 이르는 에코 세대의 내 집 마련을 위한 수요 등 여러 가지 복합적인 요인들로 인해 2018년에서 2020년까지 수도권 부동산시장은 기존 전문가들이 예상하는 것보다 더 많은 거품을 야기할 가능성이 있다.

이러한 거품 속에서 자칫 큰 욕심을 부린다면 체할 수도 있다.

그래서 부동산 시장에 관하여 이렇게 큰 그림을 그려놓고 다가올 수도권 부동산 시장의 상승장을 맞아 적당한 수준에서 차익을 실현하고 새로운 기회를 준비하는 것도 좋은 방법이라고 생각된다.

투자자는 큰 흐름을 역행하지 않아야 하고, 자산에 거품의 유무를 판단할 수 있어야 한다.

독자분들의 성공투자를 기원하고, 책에서 다루지 못했거나 향후 추가적인 변화에 관해선 Daum 카페 '행복재테크'에서 칼럼을 통해 게재할 계획이다.

도서출판 지혜로

'도서출판 지혜로'는 경제 · 경영 서적 전문 출판사이며, 지혜로는 독자들을 '지혜의 길로 안내한다'는 의미입니다. 지혜로는 특히 부동산 분야에서 독보적인 위상을 자랑하고 있으며, 지금까지 출간한 모든 책이 베스트셀러 그리고 스테디셀러가 되었습니다.

지혜로는 '소장가치 있는 책만 만든다'는 출판에 관한 신념으로, 사업적인 이윤이 아닌 오로지 '독자들을 위한 책'에 초점이 맞춰져 있고, 앞으로도 계속해서 아래의 원칙을 지켜나갈 것입니다.

첫째, **객관적으로 '실전에서 실력이 충분히 검증된 저자'의 책만 선별하여 제작합니다.**
실력 없이 책만 내는 사람들도 많은 실정인데, 그런 책은 읽더라도 절대 유용한 정보를 얻을 수 없습니다. 독서란 시간을 투자하여 지식을 채우는 과정이기에, 책은 독자들의 소중한 시간과 맞바꿀 수 있는 정보를 제공해야 한다고 생각합니다. 그러므로 지혜로는 원고뿐 아니라 저자의 실력 또한 엄격하게 검증을 하고 출간합니다.

둘째, **불필요한 지식이나 어려운 내용은 편집하여 최대한 '독자들의 눈높이'에 맞춥니다.**
그렇기 때문에 수많은 독자분들께서 지혜로의 책은 전문적인 내용을 다르고 있지만 가독성이 굉장히 좋다는 평가를 해주고 계십니다.
책의 최우선적인 목표는 저자가 알고 있는 지식을 자랑하는 것이 아닌 독자에게 필요한 지식을 채우는 것입니다. 앞으로 독자층의 눈높이에 맞지 않는 정보는 지식이 될 수 없다는 생각으로 독자들에게 최대한의 정보를 제공할 수 있도록 편집할 것입니다.

마지막으로 앞으로도 계속 독자들이 **'지혜로의 책은 믿고 본다'**는 생각을 가지고 구매할 수 있도록 초심을 잃지 않고, 철저한 검증과 편집과정을 거쳐 좋은 책만 만드는 도서출판 지혜로가 되겠습니다.

뉴스 〉 부동산

도서출판 지혜로, "돌풍의 비결은 저자의 실력 검증"

송희창 대표, "항상 독자들의 입장에서 생각하고, 독자들에게 꼭 필요한 책만 제작"

도서출판 지혜로의 주요 인기 서적들

경제 · 경영 분야의 독자들 사이에서 '믿고 보는 출판사'라고 통하는 출판사가 있다. 3권의 베스트셀러 작가이자 부동산 분야의 실력파 실전 투자자로 알려진 송희창씨가 설립한 '도서출판 지혜로'가 그 곳.

출판시장이 불황임에도 불구하고 이곳 도서출판 지혜로는 지금껏 출간된 모든 책이 경제 · 경영 분야의 베스트셀러로 자리매김하는 쾌거를 이룩했다.

송희창 지음 | 376쪽 | 18,000원

송사무장의 실전경매

이것이 진정한 실전경매다!

- 수많은 투자 고수들이 최고의 스승이자 멘토로 인정하는 송사무장의 '완벽한 경매 교과서'
- 대한민국 NO.1 투자 커뮤니티인 다음 카페 '행복재테크'의 칼럼니스트이자 경매계 베스트셀러 저자인 송사무장의 다양한 실전 사례와 유치권의 기막힌 해법 공개!
- 저자가 직접 해결하여 독자들이 생생하게 간접 체험할 수 있는 경험담을 제공하고, 실전에서 바로 응용할 수 있는 서식과 판례까지 모두 첨부!

김학렬 지음 | 420쪽 | 18,000원

부자들만 알고 있는 수도권 알짜 부동산 답사기

알짜 부동산을 찾아내는 특급 노하우를 공개한다!

- 초보 투자자가 부동산 경기에 흔들리지 않고 각 지역 부동산의 옥석을 가려내는 비법 공개!
- 객관적인 사실에 근거한 학군, 상권, 기업, 인구 변화를 통해 각 지역을 합리적으로 분석하여 미래까지 가늠할 수 있도록 해준다!
- 풍수지리와 부동산 역사에 관한 전문지식을 쉽고 흥미진진하게 풀어낸 책!

서상하 지음 | 356쪽 | 18,000원

대한민국 땅따먹기

진짜 부자는 토지로 만들어진다!
최고의 토지 전문가가 공개하는 토지투자의 모든 것!

- 토지투자는 어렵다는 편견을 버려라! 실전에 꼭 필요한 몇 가지 지식만 알면 누구나 쉽게 도전할 수 있다.
- 경매 초보들뿐만 아니라 더 큰 수익을 원하는 투자자들의 수요까지 모두 충족시키는 토지투자의 바이블 탄생!
- 실전에서 꾸준히 수익을 내고 있는 저자의 특급 노하우를 한 권에 모두 수록!